Diário de um
grávido

Dados Internacionais de Catalogação na Publicação (CIP)
(Câmara Brasileira do Livro, SP, Brasil)

Kaufmann, Renato
Diário de um grávido / Renato Kaufmann. 2. ed. – São Paulo : Mescla,
2016.

ISBN 978-85-88641-10-5
1. Gravidez - Obras de divulgação 2. Humorismo brasileiro
3. Mulheres grávidas 4. Pai e filhos 5. Pai e mães - Comportamento
6. Paternidade I. Título.

10-05301   CDD-612.630207

Índice para catálogo sistemático:
1. Gravidez : Fisiologia humana : Tratamento humorístico   612.630207

Compre em lugar de fotocopiar.
Cada real que você dá por um livro recompensa seus autores
e os convida a produzir mais sobre o tema;
incentiva seus editores a encomendar, traduzir e publicar
outras obras sobre o assunto;
e paga aos livreiros por estocar e levar até você livros
para a sua informação e o seu entretenimento.
Cada real que você dá pela fotocópia não autorizada de um livro
financia o crime
e ajuda a matar a produção intelectual de seu país.

Diário de um grávido

RENATO KAUFMANN

mescla
EDITORIAL

DIÁRIO DE UM GRÁVIDO
Copyright © 2010 by Renato Kaufmann
Direitos desta edição reservados para Summus Editorial

Editora executiva: **Soraia Bini Cury**
Editora assistente: **Salete Del Guerra**
Assistente editorial: **Carla Lento Faria**
Capa e ilustrações: **Souzacampus**
Projeto gráfico e diagramação: **Crayon Editorial**

1ª reimpressão, 2021

Mescla Editorial
Departamento editorial
Rua Itapicuru, 613 – 7º andar
05006-000 – São Paulo – SP
Fone: (11) 3872-3322
http://www.mescla.com.br
e-mail: mescla@mescla.com.br

Atendimento ao consumidor
Summus Editorial
Fone: (11) 3865-9890

Vendas por atacado
Fone: (11) 3873-8638
e-mail: vendas@summus.com.br

Impresso no Brasil

À minha filha Lucia:
que bom que você veio.

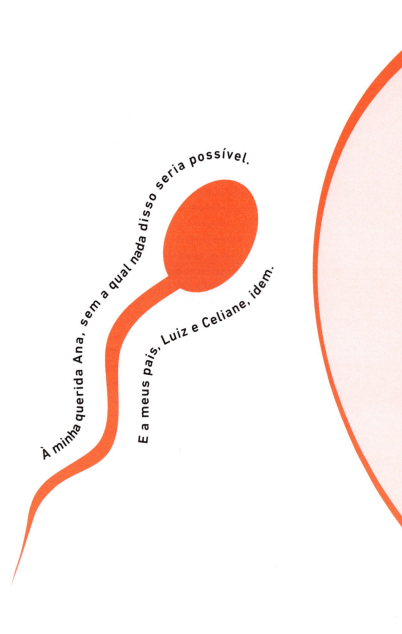

À minha querida Ana, sem a qual nada disso seria possível.

E a meus pais, Luiz e Celiane, idem.

Agradecimentos fecundos

E, já que estamos agradecendo – quem mandou? –, não podemos nos esquecer de agradecer ao big bang, pela origem do universo; à zona planetária conhecida como "Cachinhos Dourados", por permitir a vida no planeta; a Gutenberg, pela prensa; à Bibiana, pela introdução à Mescla; ao Raul, pelo contrato; à Soraia, pela edição e pelo apoio; aos meus gatos, Mao Tse-tung e Lacan, apenas por sê-los: assim é com gatos; ao André, pela introdução fatídica à Ana; aos imbecis peripatéticos Eurico e Tequila, por não terem lido o manuscrito a tempo; à Maria, por começar meu treinamento no papel de pai, se bem que os gatos poderiam disputar essa; ao Luis Fernando Verissimo, cujo texto "Confuso", presente no volume 7 da série "Para gostar de ler", me deu uma vontade inescapável de virar escritor; ao Fernando Pessoa, por não ter escrito mais do que escreveu, uma vez que o que ele escreveu já é tão bom que nem sei como tive coragem de rascunhar alguma coisa depois de lê-lo; ao Asimov, pelas costeletas; ao inventor da injeção anticoncepcional, pela incompetência; ao Maumota, pelos sábios conselhos pós-notícia; à doutora Ana Paula Aldrighi, por encaminhar o bebê habilmente para o mundo, bebê que tem sido bem cuidado pelo doutor Claudio Reingenheim; à professora anônima de primário que permitiu que eu entregasse meus deveres datilografados em uma antiga máquina de escrever azul, de cujo cheiro me lembro até hoje, em vez de me obrigar a escrever à mão, o que detesto; à dualidade onda-partícula; aos meus avós José e Lea, que me aturaram na casa deles em plena adolescência; ao tio Harry, por ser um sujeito tão afetivo e gente boa; ao tio Zezo, pela primeira mulher; ao tio Luís, pelo primeiro emprego; à tia Dolores, pela dialética; ao princípio da incerteza; à tia Rô e sua finada cã, Abigail; à Patricia, pelos quadros; aos atratores estranhos; ao Washington, pelo prefácio; ao Souzacampus, pela capa e pelas ilustrações; ao Mandelbrot, pelo conjunto; ao método científico, pela luz; a Alan Turing e Marvin Minsky, pelo computador; a herr doktor professor S. Freud, pelas explicações implicantes. E por fim, mas não menos importante, ao acaso, ao caos e à complexidade.

Sumário

De pai para pais desde 2010 – *Washington Olivetto* ¬ 11
Introdução ¬ 13

Primeiro trimestre: surpresas, descobertas e pânico ¬ 15
A revelação ¬ 16
Mas eu não estou pronto. Nem fiz terapia ainda! ¬ 18
Nada mais eloquente que AAUUUGGHHHHH!!! ¬ 20
Ultra-seven. Ultra-six. Ultraquepariu! ¬ 21
Tecnologia avançada ¬ 23
Peraí; QUANTO? ¬ 24
Ei, você! ¬ 25
Se você acha que bebês apenas comem e dormem... ¬ 27
Todo mundo em pânico ¬ 28
Ultrassom, versão pesadelo ¬ 30
Aventuras no parquinho ¬ 32
Fila de supermercado ¬ 33
Notícias néticas ¬ 34
Minha gravidez solidária não está fazendo sucesso ¬ 35
Bebê quentinho e mamãe fervendo ¬ 36
Frase do meu cunhado ¬ 38
De como abelhas taradas perseguem cegonhas e flores ¬ 39
A primeira aventura de Samuel ¬ 42
Uma menina em seu mundo subaquático ¬ 44
Pai de uma menina ¬ 46
"Vocês querem cortar o meu O QUÊ?" ¬ 48
O milagre do nascimento segundo David Shrigley ¬ 49

Segundo trimestre: barrigas, hormônios e pânico ¬ 51
Mulheres impregnadas ¬ 52
O William Burroughs da casa não sou eu, o que em diversos
   sentidos é bom, mas não deixa de ser estranho, afinal ¬ 54

A morte do obstetra ¬ 56

Um pequeno toque de pânico, pavor e aflição ¬ 58

Plano B ¬ 62

A vida é uma aventura ¬ 63

Placenta ¬ 64

O que você faz quando aparece na porta o primeiro vagabundo
a tocar a campainha? ¬ 67

Cursinho de paternidade ¬ 68

O terror definitivo: a síndrome da morte súbita em bebês ¬ 71

Samuel para presidente! ¬ 73

Gatos ¬ 74

Terceiro trimestre: Godot, preparativos e pânico ¬ 77

O ataque do esquadrão antigatos ¬ 78

Entre o real e o imaginário ¬ 81

Trinta e quantas semanas? ¬ 82

La vie en rose ¬ 84

O último dos ultrassons ¬ 87

Parto em casa, feito pelo pai, inclusive cesárea ¬ 89

O bebê que pagou o próprio parto ¬ 90

O fim da babá tuberculosa que preparava maravilhosos
tubérculos ¬ 92

72 hours to go: I wanna be sedated ¬ 93

Os Ramones tinham razão: faltavam mesmo 24 horas ¬ 94

Pois afogue com feijoada as tais borboletas ¬ 95

Rejeitados pelo hospital em pleno trabalho de parto ¬ 97

Depois da bomba atômica aparecem os santos ¬ 99

«Renato, levanta e vem ver sua filha nascer» ¬ 101

A seguir, cenas: ¬ 103

Dez dias de vida! ¬ 104

Pai e assassino ¬ 106

Lontras, mendigos bêbados e mães selvagens ¬ 107

De pai para pais desde 2010

odovico di Lionardo Buonarroti Simoni, Edward John Spencer, José Gil Moreira, João Silva Moreira, Vernon Presley, César Augusto Cielo, Leônidas Fernandes Cardoso, Jorge Messi, Jawaharlal Nehru, Guillermo Kahlo, José Telles Velloso, Bailey Robinson, Choekyong Tsering, Emilio Diaz, Antonio Pitanga, Richard Arthur Hopkins, Irineu Marinho, Silvio Anthony Ciccone, Johann Ambrosius Bach, Arnaldo Augusto Nora Antunes, João Ramos do Nascimento, Earl Woods, João César de Oliveira, Karol Wojtyla, Karamchand Gandhi, José Ruiz Blasco, Alberto Abravanel, John Shakespeare, Gadla Henry Mphakanyiswa, Augustine Washington, Carlos Monte, Bob Hewson, Ted Beckham, Aristides Inácio da Silva, Thomas Lincoln, Edevair de Souza Faria, James Jordan, Robertino Braga, Ángel Castro y Argiz, Piero da Vinci, Theodorus van Gogh, Walter Roberts, Maury Corrêa Silva, Valdir Bündchen, Dorival Caymmi, Nélio Nazário, Bill Pitt, Johann van Beethoven, Nick Clooney e Barack Hussein Obama foram homens de sorte.

Conseguiram sobreviver à gravidez e transformar-se em pais de Michelangelo, princesa Diana, Gilberto Gil, Ronaldinho Gaúcho, Elvis Presley, César Cielo, Fernando Henrique Cardoso, Lionel Messi, Indira Gandhi, Frida Kahlo, Caetano Veloso, Ray Charles, Dalai Lama, Cameron Diaz, Camila Pitanga, Anthony Hopkins, Roberto Marinho, Madonna, Johann Sebastian Bach, Arnaldo Antunes, Pelé, Tiger Woods, Juscelino Kubitschek, João Paulo II, Mahatma Gandhi, Pablo Picasso, Silvio Santos, William Shakespeare, Nelson Mandela, George Washington, Marisa

Monte, Bono, David Beckham, Lula, Abraham Lincoln, Romário, Michael Jordan, Roberto Carlos, Fidel Castro, Leonardo da Vinci, Vincent van Gogh, Julia Roberts, Fausto Silva, Gisele Bündchen, Nana Caymmi, Ronaldo, Brad Pitt, Ludwig van Beethoven, George Clooney e Barack Obama sem ter lido uma linha sequer deste *Diário de um grávido*.

Obra fundamental para futuros papais, este livro explica – com humor sincero e apaixonado – como é atrapalhada e emocionante a gravidez do ponto de vista masculino.

Você, leitor, é um homem de mais sorte ainda. Já tem nas mãos o seu exemplar de *Diário de um grávido* e agora pode se preparar, de modo correto e adequado, para uma gravidez confortável e sem surpresas.

Agradeça ao pai da ideia, Renato Kaufmann, por ter colocado este livro no mundo. E agradeça também ao Luiz Kaufmann, que é o autor do autor.

Washington Olivetto
(pai do Homero, da Antônia e do Theo)

Introdução

A introdução é o começo de tudo. Foi através de uma introdução que eu conheci a Ana. E através de outra introdução subsequente que um espermatozoide encontrou um óvulo e colocou em movimento a cadeia de acontecimentos que gerou este livro. Assim, nada mais apropriado que iniciá-lo com uma introdução também. Considerem-se, ahem, introduzidos.

Primeiro trimestre: surpresas, descobertas e pânico

A revelação

Posso passar na sua casa mais tarde?
— Claro.

[mais tarde]
— Oi, tudo bem?
— Tudo. Como foi seu dia?
— Eu estou grávida.
— Você está o quê? (Já tinha ouvido da primeira vez, mas é preciso ganhar tempo.)
— Eu estou grávida.
— Ah, fala sério (começo a procurar algo nas paredes e prateleiras).
— O que você está procurando?
— A câmera escondida, claro que isso é pegadinha! Agora, cadê a câmera?
— Rê, é sério.
— Claro, claro (continuo procurando).
— Rê...
— Ok, ok. Como você sabe?
— Fiz um exame de farmácia, deu positivo.
— Ah, exame de farmácia. Dá muito falso positivo. É uma técnica da farmácia pra vender mais fralda e essas coisas.
— Rê, esses exames às vezes dão falso negativo, mas falso positivo é quase impossível.
— Ahnnnn. Ok. Tá (olho em volta). Agora fala: CADÊ A CÂMERA????

– Rê, não grita...

– Bom... Você deve estar mesmo grávida, olha o tamanho desses peitos, nem cabem aí no sutiã!

– Tão grandes, né?

– Você não me diria isso assim, teria um preparo todo... Ou não?

– Olha, eu até pensei em começar com aquele lance de boa notícia/má notícia e descobrir qual é qual, mas na hora não saiu...

– "Na hora não saiu"... Talvez POR ISSO você esteja grávida!

Me dou conta de que não tem nenhuma câmera escondida e começo a hiperventilar.

– Ok – diz ela, com os olhos arregalados. – Melhor a gente conversar outra hora.

Mas eu não estou pronto. Nem fiz terapia ainda!

aquele momento até a hora de ter aquela inescapável conversa, meu coração disparou e eu me sentia à beira de um ataque cardíaco, o que sob certos aspectos seria bem-vindo, nem que fosse só pra aliviar a sensação de ansiedade. Passado o ápice da turbulência, mas ainda tomado de taquicardia, retomamos a conversa:

– Gatinha, não sei se estou pronto pra isso.

– Imagina, você vai ser um ótimo pai.

– Mas parece muito cedo, eu tinha imaginado que seria pai em outro momento da minha vida, mais velho, mais maduro, não sei, mais pronto.

– Sei. E você imaginou isso para que idade, então, se é que eu posso saber?

– Ah, mais velho, mais perto dos 40, pelo menos com uns 36, 37.

– Mas Rê, você já fez 33... Diz sinceramente se você acha que em três anos você vai melhorar tanto assim.

Touché, pensei. Toda vez que uso essa expressão me lembro que tive uma tartaruga com esse nome quando era criança e isso sempre me distrai. Quando vi ainda não tinha respondido, estava apenas resmungando. O argumento da idade estava vencido.

Vista assim tão de perto, sem que eu tivesse tempo de me preparar ou me acostumar, a ideia estava me deixando praticamente apavorado.

Na próxima conversa esclarecemos mais um ponto: que não pode ser tão difícil criar um filho. A Ana já tinha uma filha de 6 anos e sempre achei que ela e o ex fizeram um excelente trabalho ali. Inclusive, quando ela me apresentou a Maria, dois anos antes, a pequena me convidou pra conhecer o quarto dela e suas coleções. E mais tarde, no restaurante, não teve nenhum pudor em cochichar na minha orelha um segredo: que sua mãe era apaixonada por mim. A pobre mãe ficou roxa e negou tudo e eu fiquei feliz com a cumplicidade da pequena, afinal eu também era apaixonado pela sua progenitora.

Como todos nós, seres humanos, fomos favorecidos pela seleção natural, tendo vindo de uma longa linhagem de sobreviventes, e somos permeados pelo impulso de reprodução, qualquer café com leite pode ser pai. Não tem vestibular nem manual, e ainda assim qualquer um no mundo inteiro tem filhos – ricos, classes médias, pobres, mendigos, inteligentes, tapados, na cidade, no campo, em tribos onde o cordão umbilical é cortado pelo pai com bico de tucano, em hospitais tecnológicos que parecem da Matrix e nos quais o pai não entra, ou mesmo na banheira onde meu sobrinho nasceu e nadou como um tubarão.

– Gatinha, realmente, pai todo mundo tem, ou quase. Mas será que vou ser um bom pai? Eu preciso, sei lá, fazer anos de terapia antes disso. E eu nem comecei ainda.

– Eu acho sinceramente que sim, mas mesmo que não, ou talvez, ou sei lá, estou te contando que vou ter esse bebê.

– Você teria ele mesmo sem mim?

– Iep.

Imaginei um filho meu sem mim no mundo e senti um impulso de proteção acompanhado de uma fisgada no peito, a primeira de incontáveis que viriam e que são marcas indeléveis dessa tal paternidade.

Nada mais eloquente que
AAUUUGGGHHHHH!!!

(de um dos quadrinhos do site Ctrl+Alt+Del[1])

Tradução dos quadrinhos:

ETHAN: Ok... Ok... Ok, respire. Ok, nós... Ok... Ok... Ahnn... Ok... A gente... Ok... Está tudo ok... Tudo ok...

LILAH: Pensando melhor, acho que não deveria ter dito assim, na lata...

ETHAN: Você tem CERTEZA? Como temos certeza que o sol nasce no Oeste?

LILAH: O sol nasce no Leste, mas sim, tenho certeza.

ETHAN: Eu te amo com todo meu coração, você é a luz da minha vida e a melhor coisa que já me aconteceu. Por favor, não leve isso pro lado pessoal. AAUUUGGGHHHHH!!!

LILAH: Droga... EU é que ia surtar naquela direção.

---

1. Por questões de direito autoral, não pudemos reproduzir aqui a tirinha mencionada. Mas pare de ser preguiçoso(a) e vá conferi-la em <http://www.cad-comic.com/cad/20080216>.

Ultra-seven. Ultra-six. Ultraquepariu!

A pesar do choque, a gente sente que é possível se acostumar com a ideia de ser pai, desde que haja o tempo necessário pra tal. Pessoalmente, acho que o tempo necessário para ir tranquilo da notícia da paternidade ao primeiro ultrassom seria em torno de dois ou três anos.

Doce ilusão. Depois de dez dias deitando a cabeça no travesseiro sem desacelerar nem descansar nem parar os diálogos internos, que consistiam basicamente em interjeições de assombro, surpresa e euforia, eu tive que ir conhecer meu feto, o famoso olho-no-ovo. Naquele momento eu ainda não tinha me dado conta de que quem tinha dez dias de vida era a notícia, e não o feto, e como a contagem maluca das semanas de gravidez começa antes mesmo de o espermatozoide encontrar o óvulo, ficamos só esperando o tal ultrassom pra perguntar: "Há quanto tempo você está aí ouvindo tudo, hein, seu feto?"

O laboratório está cheio e até chegar a nossa vez ficamos na sala de espera. É a primeira vez que levo uma mulher pra um ultrassom. Fico inquieto e sinto que as pessoas me olham. "Ele deve ter emprenhado a moça", diz o olhar de um velhinho com sua senhora, que continua: "Fez mal pra rapariga" – e outras tiradas rudes e anacrônicas. Os velhinhos não abriam a boca, mas eu podia reconhecer a eloquência de seus olhares e caretas. Só quando chamaram nosso número me dei conta que atrás de mim tinha uma TV passando novela vespertina. Malditos noveleiros geriátricos que fazem caretas pra novela!

O exame propriamente dito é como se fosse um cineminha, mas não tem pipoca. Tem um computador cheio de botões. Gosto de botões. Aí uma mulher jovem e simpática se apresenta como médica e enquanto conversa vai pondo camisinha e vaselina no que parecia um cruzamento entre um consolo e uma broca de dentista. Sem cerimônias nem um beijinho antes, ela enfia isso na sua namorada e mexe o negócio pra lá e pra cá. Não tem feto nenhum na tela e a médica diz: "Abre mais a perna, querida". Ouço isso e penso que é como a chegada de um momento muito sonhado, que parecia impossível. Só que enquanto as duas mulheres se divertem você é meio que ignorado e fica à espera de um convite. Cheguei a me perguntar se a coisa toda não seria uma elaborada fantasia e eu ali perdendo tempo. Será que deveria fazer alguma coisa? Beijar a Ana? Segurar a mão da médica?

Antes que eu tirasse a roupa, a médica diz "ahá!" e aparece um feijão ali na tela. Súbito você descobre que tem uma pessoinha lá dentro, praticamente feita de pixels.

O feijão tem meio centímetro de altura e seis semanas de idade. Um conjunto de quatro pixels fica piscando ali na tela, no meio do feijão. A médica diz que é o coração do feto. E bate! Uma pessoinha com coração, batimentos cardíacos e tudo. Eu não fiquei emocionado. De nenhuma forma e de modo algum. Eu sou inemocionável.[2]

---

2. Minto compulsivamente, mas sou inemocionável.

Tecnologia avançada

As mulheres trazem dentro de si uma fabriquinha de fazer pessoas. Como pode uma coisa tão complexa parecer tão simples? Por isso as mulheres vivem se gabando que nós homens não sabemos o que é abrigar e nutrir uma vida dentro de si, sempre com aquela aura de magia feminina, de clube ultraexclusivo. O que não é verdade, conhecedores de lombrigas e tênias que somos, devidamente abrigadas e nutridas, mas dificilmente chamadas de Júnior. Ainda assim, de alguma forma tenho a sensação de que não é exatamente a mesma coisa.

Peraí; QUANTO?

ê, vamos ter um filho?
— Será, mas eu estou super sem dinheiro...
— Tudo bem, no primeiro ano o custo é praticamente só em fralda.
— Ah, é? Então, tá.

Segundo a *Veja*, do nascimento à faculdade (particular), o custo é de um milhão e seiscentos mil reais. Isso pra classe média. Talvez um pouco menos se você disser que hipismo é a putaquepariu e investir algumas horas por dia garantindo que a criança estude o suficiente pra entrar em uma boa universidade pública.

Lá estava eu, arrancando os cabelos e pensando em como pagar isso tudo. Mas segundo outra pesquisa, um bebê de classe média baixa carioca custa, até os 18 anos, R$ 53 mil. Opa, isso já dá pra pagar, nem que seja em parcelas a perder de vista. Mas a verdadeira saída não é ganhar dinheiro, e sim descer de classe social. Como eu não pensei nisso antes? Pessoas muito pobres têm um monte de filhos, o tempo todo, criados na maior igualdade, como esposas islâmicas[3]. Se eu descer de classe, digamos, para pobreza absoluta, o processo todo sai de graça. De graça!

Eu sou um gênio.

---

3. No Islã você pode ter muitas esposas, desde que trate todas com igualdade. Ou seja, só os muito ricos e os muito pobres conseguem manter a poligamia. Imagine um monte de esposas, todas de TPM. Deve ser por isso que lá as leis são tão duras com as mulheres, senão toda lua cheia iniciaria uma revolução sangrenta.

Ei, você!

into-me como um gato de Schrödinger prestes a sair da caixa – ou não. O pequeno feto já impõe seu calendário acelerado a tudo à sua volta. Não tinha nem uma semana que eu sabia dele e minha mãe deu de presente um macacãozinho amarelo. Mãe é foda, choque de realidade na veia. Ao ver a primeira roupinha, a ideia ganha corpo e você começa a visualizar mentalmente que o seu feijão vai caber nisso. Dez dias e o pequeno já tinha um coração batedor e uma roupa pra vestir. Me perguntam, aliás com frequência, se já caiu a ficha. Claro que já. Mas tem ideia de quantas fichas são? Pra cada ficha que cai é uma taquicardia. A roupinha uma, o coração outra, e a coisa parece não ter fim. No reino das fichas intermináveis.

A grávida tem um pequeno problema de tiroide, e toma um remédio que se não me engano chama-se "sem-tiroide". Fez exame daqui, exame dali, e um deles deu que a tal glândula estava desregulada. Fiz um pequeno doutorado pelo Google[4] sobre as implicações disso na gravidez e quase morri de preocupação. A tiroide da grávida estava sendo acompanhada pelo seu ginecologista, e tendo em vista que a moral dele não estava alta depois do "fiasco do anticoncepcional" que deu origem a este livro, consultamos uma endocrinologista, que recomendou apenas que a Ana comesse mais, pois estava muito magrinha pra uma grávida. Fingi que o conselho era pra mim e entrei na chamada gravidez solidária.

4. Nota para mim mesmo: jamais pesquisar doenças no Google novamente.

As perguntas não param. Ainda nem me acostumei com a ideia de gravidez, ou de ultrassom com coração, e já me interpelam sobre todo tipo de coisa, por exemplo, se vou assistir ao parto. Como assim? Isso não se faz. Não sei se vou, dizem que só o pai pode assistir. Depois perguntam o dia exato da concepção. Não sei! Como saberia? Acho que não estava lá. Ou estava?

Aí perguntam sobre nomes. Tenho vontade de agarrar pelo colarinho e chacoalhar e dar tabefes e dizer pra pararem de me atropelar assim. Desisto disso por razões óbvias e tento responder: se for menino, pode ser Uiliket, Raskolnikaufmann, Milquechêiquiçon, Ei, você!, Nietzsche-Schopenhauer, Copérnico-Asimov ou Calvino-Gaiman-Murakami. Para meninas, temos Fractal, Sofia (Daputa), Uilikit, Xiboquinha e Ei, você! Também tem Psiu, que é um nome neutro. Quem mandou perguntarem?

No fim, tenho vários amigos felizes[5], já que finalmente alguém na turma vai ter ainda menos cabelo que eles. E torço pra que o bebê não seja alérgico aos meus gatos, Mao Tse-tung e Lacan. Caso contrário, terei que mandá-los pra um abrigo, a pobre mãe e o pequeno bebê.

O fiasco do anticoncepcional

Então eu e Ana estávamos namorando e, como diriam Adão e Eva, nos conhecendo melhor. Estávamos nos conhecendo tanto que decidimos que era melhor cuidarmos disso antes que nossa enciclopédia desse origem a um pequeno dicionário. Afinal, tabelinha e interrupção são métodos praticamente esotéricos. Eu juro que se tivesse uma pílula masculina eu tomava. Não havendo, Ana começou a tomar pílula. Deu um pequeno efeito colateral: ela sangrou o mês inteiro. Não tendo morrido, consultou o médico, que sugeriu um anticoncepcional injetável, a ser aplicado uma vez por mês. E catapimba, a moça ficou grávida. Só não peço meu dinheiro de volta porque é capaz de dizerem: "Entrega o bebê que a gente dá o dinheiro".

---

5. Na verdade, só o Tequila. A Maria diz que ele está tão careca que até a peruca dele está ficando careca.

Se você acha que bebês apenas comem e dormem...

choram, saiba que todo aquele leite pode ser convertido em serviços domésticos. Enquanto eu tentava inspirar, pelo exemplo, a grávida a comer mais, conforme recomendado pela endócrino, recebemos um e-mail com a foto de um bebê japonês usando uma roupa que parece um esfregão de chão. Muito prático e inteligente: basta uma roupinha especial, e, presumo, um bebê japonês, e a casa fica limpa. Como a Ana não é japonesa, a chegada de um bebê japonês criaria sérios problemas. Como é que a gente se comunicaria com ele? Meu japonês é muito básico, restrito a alguns xingamentos, cantadas (na verdade, só "cho kauaii") e imitações sem sentido algum. Um bebê japonês também indicaria a presença de um gene recessivo na minha linhagem, que eu e os japoneses compartilharíamos com, digamos, o Elo Perdido, e dessa forma explicaria uma aparente aberração genética: os cornos da minha testa. Outra opção, no caso da chegada de um bebê japonês, seria vestir a Dona Mamãe de gueixa e colocá-la pra trabalhar em alguma esquina lá na Liberdade (rodando borsinha, né?), enquanto o bebê ganharia um extra lavando vidro de carro.

Todo mundo em pânico

Na verdade, acho que só eu, e só às vezes. Não é pânico como em "medo exagerado e absolutamente fora de controle". Não muito. Pareço tranquilo com o processo todo, exceto por episódios de algo que só pode ser descrito como síndrome do pânico, alguns pesadelos desses de acordar suado e grudado nos lençóis e uma taquicardia daquelas que personificam a expressão "parece que o coração vai sair pela boca". Tudo isso mais o que minha hipocondria insiste em dizer que é uma perigosa arritmia. Por sorte ninguém percebe esse meu estado – exceto os vizinhos, que, suponho, ouvem meu bruxismo de madrugada. E é bom mesmo que ninguém perceba, porque se percebessem iam me encher de conselhos, exemplos da vida alheia, paralelos próximos e histórias reconfortantes que em vez de reconfortar só pioram essa sensação e criam uma intensa vontade de estrangular pessoas, vontade essa cujo único disfarce é um sorriso e cujo único empecilho é o fato de que essas mesmas pessoas vão ter que comprar um montão de fralda pra dar de presente pra gente.

É importante que as pessoas entendam que não é como se eu estivesse tendo um filho pela primeira vez (e estou), mas como se eu fosse a primeira pessoa no universo a ter um filho, como se ninguém jamais tivesse tido filhos antes de mim e todo o resto fosse só uma preparação para esse momento dramático, grandiloquente e muito legal.

Ainda assim, sinto como se estivesse sendo atropelado pela vida. Atingido por ondas gigantes e sendo levado pelo mar.

Como se estivesse num cavalo louco e sem rédea, e pior, sem sela. Como se tudo que me sobrasse fosse aludir a metáforas meia-boca e fazedores de chuva para nuvens de ilusão. O controle é uma ilusão, mas eu gostava dela.

My name is Freak. Control Freak.

Em contrapartida, para a minha grávida tudo é de uma bucólica tranquilidade, como um poema árcade.

Comentário da grávida

Poema árcade é o diabo que o carregue! Meu Deus, quanta mentira, seu calhorda manipulador mentiroso salafrário, agora eu vou contar tudo... Ei, o que v... (Pof. Tum. Soc.) É verdade! É tudo verdade!

Ultrassom, versão pesadelo

Com muita dor e medo de que algo estivesse errado, a Ana sai no meio do trabalho e corre pro hospital do bairro. Chego do trabalho e vou pra lá ficar ainda mais umas horas com ela em espera. Uma senhora que não suporta ovos de nenhuma espécie nos faz companhia, discorrendo longamente sobre como ela não gosta de ovos, junto com uma grávida que se recusa a dar à luz, deve estar no décimo nono mês, a julgar pelo tamanho da barriga. Ela gosta é de ser grávida e o bebê que fique lá dentro. Se existisse reencarnação, eu diria que ela foi um canguru ou será um elefante.

Quando chega a nossa vez, já ficou claro que não devo abrir a boca jamais, que grávidas com dor têm seu senso de humor prejudicado e que mesmo o comentário mais idílico pode soar ofensivo. Não se pode nem fazer piada sobre sexo com a babá que já surgem as palavras "sangue", "divórcio", "facas" e "superbonder".

E lá vamos nós pro cineminha. Arre! Se o outro ultrassom foi quase uma fantasia sexual, esse foi um verdadeiro pesadelo. Em vez de médica gatinha tínhamos um careca filhodaputa, misógino e mal-humorado. Ele deu a entender que existem muitos casais que fingem problemas só pra ver o feto na TV do ultrassom sem precisar pagar o exame, e que nós seríamos um casal desses. Peguei ódio instantâneo do sujeito, que introduz sem cerimônia um objeto estranho na minha caverninha mágica, a dela. E eu louco pra dar um pescotapa no desgraçado.

Para o pesadelo ficar completo, o sujeito levou quase cinco minutos pra achar o coração do bebê. Nesse segundo ultrassom eu já sabia que fetos tão pequenos têm o tal coração, e a demora foi um horror insuportável: "Caralho não tem coração não tem coração não tem não tem coraçãããoaoaoaoaoaoaaahhh!"

Quando aparece o coração batendo na telinha eu quase desmaio.

Mesmo assim o pesadelo continua: cada vez que o cara abre a boca pra explicar que "aparentemente" está tudo bem, de cada três palavras uma é "entende?", o que me impede de uma vez de levar o sujeito a sério. Deve ter feito residência em telemarketing médico. Ele chama o cisto que havia lá de "ovo lúdico"[6] e diz que ele produz hormônios até a placenta chegar. Um cisto útil, segundo ele, que deve colecionar cistos como quem coleciona selos.

Chegando em casa e ciente de que minha vida não me pertence, resmungo com sotaque gringo: "Onde eu ir amarar minha burico?" Não tendo aprendido nada sobre o senso de humor das grávidas, tive que disputar com os gatos um lugar no sofá, onde passei a noite. Um dia eu descubro onde comprar as tais pílulas de calar a boca.

---

6. Eu sei que é corpo lúteo e não "ovo lúteo" nem "ovo lúdico", mas não resisti. E ovo lúdico soa divertido, enquanto o ovo lúteo era chamado de bundão na escola dos ovos.

Aventuras no parquinho

Vou para o parquinho do prédio, um dos meus primeiros passeios com minha recém-adquirida enteada de 6 anos, a Maria. Ela estava no cavalinho da esquerda, chamado Rê – esse pelo menos não morre, ao contrário do peixe que ela chamou de Rê e cuja morte causou muita confusão telefônica quanto a meu estado de saúde –, e uma outra menina no cavalinho da direita, chamado Não Sei.

A menina ficou me olhando intrigada e finalmente criou coragem e perguntou:

– Você é o pai dela?

– Não, eu sou o padrasto. Isso quer dizer que namoro a mãe dela.

A menina pensa um pouco e responde:

– Ah! Eu tenho um monte de padrastos!

Fila de supermercado

Como tudo tem que ter um lado positivo, começamos a usar as famosas filas preferenciais. Da primeira vez, lá no supermercado, a caixa olhou feio e disse que estávamos na fila preferencial e que havia outras caixas abertas. Respondi na hora que eu era idoso e minha mulher, deficiente mental. A caixa pareceu chocada e não sabia o que responder. A Ana mostrou sua inexistente barriga e acrescentou que estava grávida. A caixa encheu a boca pra dizer alguma coisa, mas desistiu e, resignada, perguntou: "Tem Cartão Mais?"

Notícias néticas

Parece que a família quer se manter informada, então a Ana manda e-mails pra minha mãe. Tem toda uma teia invisível que liga as mulheres da família e enreda os homens como pobres insetos.

"Celiane, seu neto(a) já esperneia; o coração é quase maior do que as pernas (as duas juntas) e a cabeça é praticamente do tamanho do cercadinho, digo, do saco embrionário. Ele agora tem uma placenta inteira pra chamar de sua. Ficou virando de um lado pro outro no ultrassom hoje no consultório, me lembrou o Rê tendo insônia quando deita cedo.

Ah! Temos previsão de nascimento: entre 10 e 20 de outubro. E provavelmente vai ser num baita hospital, onde encheremos a cara de geleinhas e chá de erva-doce.

Apesar de comer por seis, até agora só ganhei 800 gramas. Então, pra comemorar tudo isso, passei na Zilana e comprei cerejas húngaras e pepino azedo. E varenik."

O varenik estava uma delícia, mas não é como o que minha avó Sofia fazia. Nenhum é. Se estivesse viva ela teria adorado saber dos bisnetos no forno. Exceto se eu usasse essas exatas palavras, "bisneto no forno", ao contar, dado que ela fugiu dos horrores do nazismo; ia cair mal. Mas minha mãe adorou o e-mail.

Minha gravidez solidária não está fazendo sucesso

Estava ali distraído quando se aproximou minha enteada, a pequena Maria:

– Rê, suas roupas servem em você?

– Ué, servem sim, por quê?

– Porque você está engordando muito.

Resisto ao impulso de dar-lhe um croque na cabeça. Não existe espelho[7] tão imparcial quanto uma criança de 6 anos.

---

7. Deve ser esse o tal espelho que se quebrar dá sete anos de azar. E por azar leia-se cadeia.

Bebê quentinho e mamãe fervendo

Antes mesmo do nascimento, o bebê já ocupa um espaço impressionante na sua vida. Quando me dei conta, meu feijãozinho tinha 3 meses e em breve começaria a ouvir, de modo que eu teria que começar a falar com ele, caso contrário ele só se acostumaria com a voz da mãe. Falar com a barriga (e nem tinha barriga ainda), por outro lado, é apenas um degrau a menos em esquisitice que o famoso "fala com a minha mão". E o que dizer? "Oi, ser. Tudo bem? Quentinho e molhado por aí, presumo?" Acho que só o Aquaman consegue se comunicar com bebês.

Nesse primeiro trimestre, a gravidez é uma espécie de ditadura do hormônio. É como uma TPM, mas mais imprevisível e com um espectro de cores maior. Toda vez que a Ana grávida sai na rua eu fico com medo, vai saber com quem ela vai arrumar confusão dessa vez: com o motorista que fez a curva e não deu sinal, com o outro que parou na faixa de pedestres ("Se o senhor gosta tanto da faixa de pedestres por que não anda a pé?" – esse ficou tão nervoso que bateu o carro ao sair da dita faixa) ou com a moça da padaria que não aceita cheques e que não aceitou um cheque.

Fora que tem mil coisas que podem acontecer com o bebê numa dessas. Então, se no começo dá medo de ser pai, depois dá medo de acontecer alguma coisa e não ser mais, dá medo até de pensar. E em vez de trazer a barriga pra falar comigo a desgraçada da grávida fica por aí arrumando encrenca...

A versão da grávida

Hormônio é o juiz de futebol do casamento. Não. Ele é o mordomo, a Odete Roitman, o Fidel do relacionamento. O que uma mulher sem hormônios faria se um sujeito quase atropelasse, em cima da faixa de pedestres, sua barriga de quatro meses? Talvez ela dissesse: "Senhor, mas que distração a minha! Desculpe se a minha barriga quase comprometeu a sua contravenção", ou talvez apenas sorrisse e seguisse o seu caminho na serenidade. Mas uma mulher com hormônios não gosta de latinhas de cerveja na sala, de cinzas e bitucas dentro das latinhas, de almoçar na terça-feira a pizza de domingo e de trocar a caixa de areia dos gatos, seja durante, depois ou muito depois da gravidez. Claro que a culpa é dos hormônios, esses folgados que não sabem recolher as latinhas da sala depois de uma barulhenta madrugada assistindo a *The office*, *Two and a half men* e *Uma família da pesada*.

Frase do meu cunhado

"ua irmã ficou muito, mas muito enjoada durante quase todos os meses da gravidez.

Foi uma experiência complicada, sofrida, excruciante, assim, perrengue de dar pena mesmo.

Inclusive tenho a impressão que *pra ela* deve ter sido difícil *também*."

De como abelhas taradas perseguem cegonhas e flores

hega um momento na gravidez em que a gente começa a se perguntar o porquê de tudo, que nem criança. "Por que as mulheres ficam grávidas?", "Por que tem gente que tem tara em grávida?" e "Por que eu, meu Deus?"

Aprendi na aula de antropologia que, em especial, três coisas possibilitaram a sobrevivência e evolução da espécie: gosto doce na boca, atração pelo orgasmo e neotenia.

O gosto doce na boca é a sobrevivência do indivíduo, que afinal precisa de alimento pra sobreviver. O ser humano vem calibrado pra detectar açúcares na natureza. Comidas doces indicam ser ricas em preciosa energia. A língua do bebê – ao contrário dos adultos, em que o detector de doce é a ponta – é quase toda focada em detectar doces, como a lactose. Assim, quando você dá uma caixa de chocolates pra sua amada, você está sutilmente dizendo: "Querida, eu quero que você sobreviva".

O que nos leva à atração pelo orgasmo, que é a sobrevivência da espécie por meio da reprodução. Sem a atração do orgasmo isso seria um ato compulsório, no mesmo nível que pagar impostos – assim como no conto do Verissimo em que o inspetor vem verificar se o casal está em dia com suas obrigações conjugais. É importante lembrar, antes da enxurrada de reclamações, que não é o orgasmo que "traz" os bebês, mas meras tentativas de chegar nele já valem. E, uma vez que esteja encomendado o bebê, algo nos obriga a cuidar dele. Hum, obriga certamente não é o termo. Algo nos instiga a cuidar dele. É a neotenia.

É o seguinte: já repararam como essa atração por bebês e coisas que parecem bebês é quase irresistível? Quem olha um bebê e não diz "awwwnnnn"? Eu tenho feito muito, mas muito mais "awns" agora que estou grávido, e mesmo assim... O mesmo vale para filhotes de quase todas as espécies – de mamíferos em especial. Cabeça grande em relação ao corpo, olhos grandes, traços arredondados. Algumas espécies inclusive mantêm esses traços nos adultos, uma das razões que explicam por que gostamos de certas variedades de cães e gatos. Mas isso não nos afeta apenas na hora de escolher cães e gatos – isso permite que sejamos tão inteligentes.

Na espécie humana o bebê nasce muito mais indefeso e despreparado em relação a outros mamíferos. O cavalo sai trotando no mesmo dia em que nasce; o elefante, depois de dois anos de gravidez, nasce com até 113 quilos (pobre mãe, pobre pai!) e já segue a manada. Se o ser humano terminasse seu desenvolvimento no útero ele não ia passar de jeito nenhum pela abertura apropriada na hora de nascer, ou a abertura seria tão grande que não seria divertido, então ele nasce imaturo e indefeso – e se não fosse a neotenia, ninguém chegaria vivo aos 13 anos. Como os adolescentes ficam bizarros em sua aparência intermediária e temperamento e em geral não estão aptos a sobreviver sozinhos, ninguém sabe bem como eles chegam aos 20 anos. Vamos culpar as tais "sociedade e cultura".

E as grávidas? São arredondadas como bebês e bolas de futebol, e obviamente gostamos de coisas redondas. Os seios grandes, além de também arredondados, são a promessa de alimento farto para o bebê e de algo pra pôr no café das visitas. E as grávidas são certamente férteis. Somos atraídos por sinais de fertilidade e também por simulações destes, como o batom vermelho simula... hmmm...

Isso tudo tá me dando uma vontade enorme, onde aquela delícia de grávida se meteu?

ALIÁS

Falando em caixa de chocolates, ao que parece, os homens casados vivem mais que os homens solteiros. E as mulheres casadas vivem menos que as mulheres solteiras. Por isso a eficácia de uma caixa de chocolates é muito menor que a de um anel de brilhantes, que segundo o Seinfeld é a maneira de os homens dizerem: "Isso é pelos anos de vida que vou sugar de você".

A primeira aventura
de Samuel

Meu sobrinho Samuel poderia ter vindo ao mundo dois anos atrás no começo do mês, segundo a previsão dos médicos, mas esperou até o último dia. Parece até que o guri não queria nascer, mas as fotos do bebê explicam tudo: o nariz não passava pela abertura, claro! Ele estava é entalado.

O menino nasceu em casa e na água, dentro de uma banheira. Assim que viram aquela barbatana, digo, aquele nariz emergindo da água, todos gritaram "TUBARÃO!" e correram do banheiro, menos minha irmã Georgia, que deveria estar zureta pela falta de anestesia. Que coragem.

Quando a parteira tirou o menino da água, nadando como se estivesse em uma capa do Nirvana, ele possivelmente estava com o patinho de borracha nos dentes – ou, ainda, nas gengivas. Da água ele passou pro colo da Georgia, mas não cortaram o cordão umbilical na hora. Como assim não cortaram? Freud explicará? Terá implicações psicológicas? Eu sempre achei que o cordão parava de funcionar automaticamente, mas não, ele fica vivo, pulsando, transferindo oxigênio e nutrientes. Como no filme *Matrix*, só que com um único plugue, o do umbigo. Assim o bebê fica no colo, quentinho e sem pressa de usar os pulmões. Parece mesmo uma transição suave.

Dez minutos depois alguém tem o bom-senso de cortar o tal cordão. Qual será a sensação do Samuel nesse momento?

"Hum, mais mudanças! Sinto um vazio lacaniano, uma desconexão... Ei, meu ar! Meu ar! Meu umbigo está sem oxigênio! Ajudem! Como eu consigo ar agora? Aqui? Ahhhh, aqui..." E o bebê respira pela primeira vez, para o grande alívio da plateia, que só falta bater palmas.

De noite telefono para dar os parabéns, já que minha irmã mora no exterior, e pergunto brincando se ela ia comer a placenta. Ou se todos na casa iam comer sanduíche de placenta por uma semana. Ela disse que não. Onde já se viu alguém, fora o Tom Cruise, comer placenta? Na verdade a parteira vai secar a placenta e colocar dentro de cápsulas, com vitamina B. Cápsulas de placenta!

Esse sim é o verdadeiro encontro entre o primal e o ultramoderno.

Talvez seja porque é em Miami, um povoado latino-americano muito próximo dos Estados Unidos.

Fora essa questão do nariz, minha irmã explicou que o mais difícil do parto é passar a cabeça, que essa é a pior parte, mas que depois o resto passa com facilidade. Ora, é aquela velha história de passar a cabeça para entrar. Eu só não sabia que isso funcionava também para a saída, ou desde tão cedo...

Uma menina em seu mundo subaquático

omos fazer o ultrassom das 15 semanas e, surpresa, o coelho na cartola é uma menininha!

Lucia foi um dos bebês mais agitados a passar pela sala de exames de imagem, dificultando que o médico tirasse sua ultrassônica fotografia. Após vários minutos de tentativas, o paparazzo-doutor consegue clicar um perfil. Dava pra ver uma grande estrutura, com uma pequena e curiosa estruturinha anexa. Pergunto ao doutor: "O que é isso, meu caro, uma verruga?" "Isso é o bebê", diz ele, todo contente. "E esse prédio aqui conectado ao bebê, é o quê?" "É o nariz." Nariz? Minha irmã vai rir muito, depois de tudo que eu falei do nariz-barbatana do meu sobrinho, o pequeno tubarão chamado Samuel.

"Esse bebê não para quieto, assim fica difícil", reclama novamente o doutor. "As pernas estão fechadas, não dá pra ver o que tem ali". Súbito, como uma boa garota judia percebendo que está diante de um médico, ela abre as pernas para o bom doutor, que sorri e pergunta se a gente quer saber o que é. Caraca, como assim, claro que queremos saber o que é! Alguém consegue não saber? Só alguém que não faça nada da vida senão ler Agatha Christie consegue não perguntar uma coisa dessas.

"É uma menina", diz o médico. "Aqui estão os pequenos lábios e os grandes lábios." Confesso que primeiro corei, depois pensei se seria bom repreender o médico, japonês descarado!

Ficamos todos felizes e comemoramos. Eu chorei, a Ana chorou, a Maria ofereceu sua coleção de Barbies à irmãzinha e todo mundo chorou ainda mais.

Enquanto isso, a pequena Lucia chupa o dedo. Depois troca de dedo. Depois dá tchauzinho. Depois dá uma cambalhota de suposta felicidade dentro de seu mundo aquático.

No fim de semana seguinte, estive com os amigos Zeca, reprodutor de estirpe cuja mais nova tem 1 ano e a mais velha prestou vestibular, e Fabrício, o Lobo da Jangada, meus consultores no assunto "ser pai de menina". Digo pra eles que em menos de dez minutos a guria abriu as pernas pro médico, chupou um dedo após o outro e já fez charme pra todo mundo que pôde. Os dois bonachões riem, com aquela cara que se faz pra quem não viu nada ainda.

Pai de uma menina

ontrariando 90% dos palpitologistas de plantão, é uma menina. Seres conectados a mundos místicos e com acesso ao além, analisadores de formato de barriga e afins, todos garantiam que tinham certeza que sabiam de todo jeito que seria menino. E seria, se não fossem esses intrometidos loucos de branco (médicos) munidos de varinhas de condão invisíveis (ultrassom). Mundo, um; sobrenatural, zero!

A primeira coisa que acontece com um pai de menina é a enxurrada de piadas. A madrinha da criança, espertíssima, largou na frente e pediu um real pra cada vez que alguém disser que eu passei de consumidor a fornecedor. E, de fato, se eu tivesse a mínima intenção de pagar pra ela, essa mulher já estaria rica. Conhecem o ditado "Devo, não pago, nego enquanto puder"?

Com mal guiado instinto protetor, logo decretei: "Vai ser freira". Fui rapidamente avisado de que freira é a puta dos padres. Tentei retorquir dizendo que isso não é verdade e que todo mundo sabe que padre gosta é de coroinhas – que, ao contrário do que o nome indica, são meninos novos. Mas ficou a semente da dúvida, e de qualquer forma lá se foi a santidade do claustro como opção. Também pensei em trancar a pequena em uma torre bem alta, mas não sei se o pai da Rapunzel teria uma opinião positiva sobre a eficácia desse método. Por outro lado, na vida real os cabelos crescem em média 1,25 cm por mês. São três metros em vinte anos, altura que um mero banquinho já resolve. Ou seja: até ter cabelo suficiente pra virar escada, o príncipe vai precisar de Viagra pra subir lá. Melhor não descartar a torre ainda.

A ideia de ser pai de menina nem criou raiz e as pessoas já querem garantir encontros amorosos entre minha filha nem nascida e seus filhos, sobrinhos e, em certos casos, com elas próprias. Claro que essa notícia não seria a mesma sem uma cambada de filhasdaputa que afirmam estar esperando apenas a guria fazer sombra ou tchibum. Estes foram advertidos de efeitos colaterais como "sensação de bolas na boca". As próprias, e cortadas fora com um cabo de colher enferrujada. Que raiva dessas pessoas.

Para a grávida, a notícia de mais uma mocinha na família veio com certo alívio, já que ela criou uma menina linda e esperta e parece ter experiência no ramo. Eu imaginava que se fosse menino ia ensinar, sei lá, coisas de menino. Sendo menina, estou incerto do que fazer. Ao menos tenho uma desculpa pra não ensinar futebol. No mínimo tenho uma boa base pra adverti-la quanto aos cromossomos Y. Enquanto isso, esse monte de gente esquisita ri das minhas preocupações e diz que isso se chama justiça divina.

"Vocês querem cortar o meu O QUÊ?"

 o que teria dito o pobre Samuel quando explicaram que a tal festinha que prometeram pra ele, chamada "bris", não era nenhuma brisa e sim uma circuncisão.

Pra quem não conhece, a circuncisão é o segundo rito de passagem dos meninos judeus. Ou tecnicamente o primeiro, já que o nascimento não é bem um rito e sim literalmente uma passagem. E que rito é esse?

É um pacto muito simples: cortam um pedaço do seu pau e Deus ganha uma aliança de couro de prepúcio. Otimistas, muito otimistas esses judeus. E Deus, será que ele as usa ou tem vergonha? Complicado chegar no céu (sim, no céu; um erro de arquivamento, certamente corrigido depois) e ver Deus usando quinhentos milhões de alianças de prepúcio, vai saber em que estado de conservação; deve dar medo até de cumprimentar. Mais complicado ainda é chegar lá no céu e perceber que ele NÃO está usando. "Deus! Cadê sua aliança? Aquela que eu te dei com meu sangue e lágrimas! Você sabe quanto custa isso, um anel de couro? Do meu couro? Diabos! Aposto que você deve ter tirado ela pra ir cortejar algum povo vagabundo, em um desses templos de beira de estrada." E o Senhor diz: "Tirei pra lavar as mãos no banheiro do escritório e ela caiu no ralo, não consegui pegar, juro por mim!" E você finge que acredita em Deus. Mas, enfim, é o pacto.

Depois haja colo da mãe e da avó.

O milagre do nascimento segundo David Shrigley

 uando fazemos sexo tendemos a não pensar nesse milagre.

Segundo trimestre: barrigas, hormônios e pânico

Mulheres impregnadas

As mulheres são seres estranhos. Uma grávida é uma mulher potencializada, mais escrava dos hormônios que nunca. Imagine uma TPM de nove meses, só que com mais variações emocionais ainda.

No segundo trimestre a grávida chora, talvez por acúmulo de líquidos. Chora em comédias estranhas como *Ligeiramente grávidos*. Chora no *Speed Racer*, *Homem de ferro*, propaganda de margarina, *Jornal Nacional* e, particularmente, chora com qualquer coisa que aconteça com qualquer criança em qualquer parte do mundo.

As grávidas também são seres doces e gostam de compartilhar muitas coisas com o pai de seu rebento, como sua insônia. Se ela não consegue dormir, você, como causador da situação dela, tem que ser solidário e não dormir também. Em especial, elas gostam de compartilhar o pânico. Se uma grávida acorda com algum tipo de mal-estar, você tem duas opções: ficar desesperado, arrancar os cabelos e torcer pra que ela não morra ou achar que é só psicológico, e que portanto ela está segura, mas o resto da sua vida irá para as chamas do inferno caso ela perceba que você, mesmo remotamente, acha que o que ela tem é apenas psicológico.

Grávidas também são muito suscetíveis, e frases como "você viu que a porta de trás ficou aberta hoje?" e "nossa, quanta louça suja" podem ser sua sentença de morte. Mesmo coisas aparentemente razoáveis, como "você não vai em final de campeonato de futebol assim grávida de jeito nenhum!", podem trazer problemas – mesmo que ela odiasse futebol e não tivesse nenhum plano de realmente ir. Prefira frases tradicionalmente seguras, como "sim, querida" e "claro que concordo com você". Qualquer outra sentença deve ser obrigatoriamente acompanhada, antes e depois, de "princesa linda gatinha".

A mulher grávida se acha a mais feia do mundo, apesar dos peitões e do fato de que homens são atraídos por coisas redondas. E esses homens passando cantadas em grávidas (e parece que são muitos!) não estão reconhecendo nenhuma beleza magnífica e maior-que-a-vida: não passam de tarados pervertidos que têm tesão pela mulher prenha alheia, isso sim.

Mulheres impregnadas – adendo
Nunca, jamais, *ever*, mesmo que com carinho e boas intenções e charme e bom humor, chame sua mulher grávida de orquinha.
E, se cometer esse grave erro, ao ouvir "hã, orquinha????", JAMAIS explique "ué, orquinha. Sabe, orca, a bal..." (temo até mesmo repetir a frase aqui).
Confiem em mim: orquinha, não. Princesa linda gatinha, sim.

O William Burroughs da casa não sou eu, o que em diversos sentidos é bom, mas não deixa de ser estranho, afinal

Peguei o controle remoto às oito e tirei de *Os padrinhos mágicos* para colocar em *Dr. House*. Do alto dos seus 7 anos, a pequena Maria protestou com veemência. Foi convocada pela mãe, em tom severo, ao quarto. Não sei o que foi dito, mas ela voltou um minuto depois, suave como seda, e perguntou se poderia assistir a *Dr. House* comigo. Topei relutantemente, não é muito adequado. E nesse caso a doente do episódio era uma menina de 5 anos.

Em certo momento, a equipe médica estava prestes a amputar um braço e uma perna da criança. Desde que soube da gravidez fiquei muito mais sensível a coisas que acontecem com crianças. Pedi pra Maria não olhar e ela tapou os olhos. Por pouco não tapei os meus também.

No intervalo, ela disse:

— Rê, me conta o que aconteceu? Eu fico muito curiosa quando não posso ver alguma coisa.

Cheio de dedos, respondi que eles tinham que fazer um tratamento muito difícil na pobre criança.

— Que tratamento? Pode falar que eu aguento.

– Maria – digo quase às lágrimas –, eles vão ter que tirar o braço dela!

– Só isso?

– Como assim, só isso? É um horror! Um horror! E não é só isso, não, eles iam tirar um braço e uma perna da menininha!

– Ah, Rê, isso não é nada. Você precisa ver, no final de *Guerra nas estrelas 3*, o que eles fizeram com o pobre do Anakin.

Jamais imaginei que, diante de uma história dessas, a criança de 7 anos fosse ficar blasé como um autor beatnik enquanto eu me contorcia em esgares à medida que o bisturi se aproximava, lentamente, dos traços pontilhados com pincel atômico no braço da menina.

A morte do obstetra

Nosso obstetra nos abandonou.

Para a grávida, isso foi motivo de grande tristeza e intranquilidade. Ele fez o parto da primeira filha dela, o pai dele fez o parto dela própria e assim retrospectivamente, até o tempo das cavernas, em que o ancestral do médico quase comeu o bebê ao cortar com os dentes o cordão da ancestral da grávida. Fora que esse doutor já conhecia todo o histórico dela e cobrava só o valor do reembolso.

Nunca me senti muito seguro com esse cidadão. Afinal, é o mesmo que receitou o anticoncepcional – e olha no que isso deu. Mesmo assim, ele é corresponsável, e já que ajudou a fazer, deveria ajudar a entregar. Mas não. Ao que parece, ele vai para os Estados Unidos bem na época do nosso parto, fazer uma especialização em robótica. Desgraçado. Aposto que os robôs lá vão aparecer todos grávidos.

Em um tema aparentemente não relacionado, a pobre prenha tem tido dificuldade de respirar à noite. Na ocasião em que soubemos desse vil abandono, a crise de falta de ar foi muito pior, e ela me acordou dizendo que não conseguia respirar direito. Como parecia asma, sugeri que ela tentasse uma bombinha de asma pra ver se aliviava. Chegamos à conclusão de que deveríamos ligar pro médico e perguntar antes de sair tomando remédios.

– Mas, olha, eu não quero falar com ele hoje, estou muito chateada – disse a moça, sem fôlego.

E então lá vou eu de madrugada acordar o doutor, que nem conheço pessoalmente.[8]

– Doutor, desculpe ligar essa hora, aqui é o pai da Lucia. A Ana está se sentindo sem ar, você acha que tudo bem se ela tomar remédio pra asma?

– Quais remédios ela costuma tomar pra asma?

– Nenhum, ela não tem asma.

Longos segundos de silêncio e o doutor enfim responde, não exatamente com essas palavras:

– Essa falta de ar é normal. De qualquer maneira, é melhor ver o que é. Vão para o pronto-socorro, assim eu não serei o único idiota a ser acordado por vocês no meio da noite.

Desligo o telefone, começo a calçar as meias e digo:

– Gatinha, vamos pro pronto-socorro.

– Eu não quero ir pro pronto-socorro.

– Mas, gatinha, o médico que eu tive que acordar de madrugada sugeriu isso.

– A gente acordou ele, né? – diz a grávida. E sorri: – Acho que já estou me sentindo melhor.

E não fomos pro pronto-socorro. Dessa forma, os únicos idiotas a acordar à toa no meio da noite foram... er... o único idiota a acordar à toa no meio da noite foi o médico.

---

8. Infelizmente uma suposta honestidade me compele a escrever esta nota. Não fui a nenhuma das primeiras consultas com o obstetra. Estava ocupado com o trabalho nessa época. E, mais que isso, com uma certa birra do cidadão. Mas assim que mudamos de obstetra eu fui a quase todas as consultas, ou no mínimo a algumas.

Um pequeno toque de pânico, pavor e aflição

Não existe vestibular para ser pai, mas a gravidez é um belo de um treinamento. Dessa forma, depois que você se acostuma com a ideia e espera ansiosamente para segurar sua cria nos braços, o universo ameaça tirar tudo de você só pra ver como você se porta. No meio do caminho tinha uma cirurgia de emergência – em plena gravidez. E, em vez de arrancar os cabelos, o futuro pai tem que transmitir calma e confiança pra sua grávida. Depois disso, o futuro pai pode virar ator ou desmantelador de explosivos.

Aconteceu que, depois de sermos abandonados pelo médico, passamos a semana toda em busca de indicações de médicos favoráveis ao parto normal. Meu primo indicou uma médica jovem, de unhas compridas e ótima profissional. Tive a impressão de que a Ana ficou com um misto de horror e inveja das unhas. Depois da primeira consulta, ela mandou a gente fazer ultrassom com um médico ninja, que o seguro não cobria, mas que, segundo ela, era o cara. Fomos.

O Dr. Ninja prosseguiu com sua rotina de exames e, ao chegar ao colo do útero, nem disfarçou sua preocupação, chegando a arregalar seus olhos puxados de ninja. No mesmo dia, no fim da tarde, meu primo me telefonou, disse que a médica ia me ligar e que não era pra entrar em pânico. Primeira reação? Entrar em pânico. A médica me ligou e disse que eu precisava imobilizar a grávida na cama, com chave de pescoço se fosse necessário. Retruquei que aquilo seria meio difícil, e que no dia anterior ela inclusive tinha ido dançar quadrilha na escola da Maria. Ela reforçou que era pra segurar aquela mulher na horizontal a qualquer custo e afirmou que a Lucia podia escorregar útero abaixo e nascer aquela semana ainda – e que bebê nascer prematuro com 6 meses era arriscadíssimo. A Ana passou a semana seguinte na cama, com o pé pra cima, sendo tratada como uma princesa, ou, na versão dela, como prisioneira da empregada tuberculosa, e tomando remédio pra não ter contração.

A médica explicou a cirurgia, necessária por um tipo de incompetência do colo uterino em se manter fechado, sendo que com o peso do bebê ele vai abrindo antes da hora. É como amarrar a boca de um balão ou um saco de gatos de cabeça pra baixo, pro recheio não fugir. A semana de repouso era pra ver se sobrava um gargalozinho pra gente dar o tal nó. Antes dessa cirurgia, as mulheres que tinham isso passavam a gravidez inteira de cama. Ela explicou ainda que a cerclagem, ou circlagem, é um procedimento completamente normal – quando feito às doze semanas. Como estávamos na vigésima segunda semana, é considerado um procedimento de urgência.

Como se sabe, problema é um negócio magnético e tende a atrair mais problemas. Quando a grávida ligou pro trabalho pra avisar que teria que tirar uma licença médica para a cirurgia, a chefe disse que não poderia esperar e que ela então estava demitida.

Sem pestanejar, ela telefonou pro editor do jornal *Valor Econômico* e pegou um frila pra fazer – na cama – sobre a Mira Schendel. Enquanto ela produzia a matéria, a empregada aparentemente tuberculosa que trabalhava em casa havia mais de seis meses ficava entrando no quarto pra perguntar como trocar o saco do aspirador, qual dos lixos era de recicláveis, se poderia folgar na sexta-feira, pois os filhos voltariam da Bahia, pra reclamar que não aguentava mais os gatos, pra falar da saúde, do pulmão, da vida sofrida e querendo debater a novela, pois a TV que compramos pro quarto dela não era muito boa e ela não tinha entendido quem estava traindo quem. Impressionante que, no meio disso tudo, a Ana terminou o texto, que acabou ficando fantástico.[9]

Telefonamos para o antigo médico, que afinal conhece bem a Ana, fez o parto da Maria e é filho do médico que fez o parto dela e cujos ancestrais fizeram o parto dos ancestrais dela por oitenta gerações, e avisamos da cerclagem. Ele disse que não concordava, que não achava necessário e que já tínhamos escolhido uma nova médica, boa sorte. Praticamente um rompimento familiar. Ainda assim ficava a questão filosófica: médicos jovens tendem a ser muito cuidadosos, às vezes até demais, e podem chegar a fazer uma cirurgia que talvez não seja realmente necessária. Médicos experientes, por sua vez, pecam do outro lado e sofrem de excesso de segurança. Nossa médica garantiu que sem isso a Lucia seria prematura, ou nem seria. Assim, demos nosso ok pra cirurgia. Meu constante sorriso mal disfarçava a ansiedade se acumulando na boca do estômago.

A cirurgia correu bem, ao contrário dos inúmeros problemas que se seguiram com a cobrança indevida do plano de saúde, que só se resolveu quando mandamos um e-mail pro presidente da empresa. Restou uma sensação de segurança

9. É, sou fã, sim.

de que a Lucia não sairia dali tão cedo e um fio verde ali pra fora que parecia um fio dental e que nem podia ser usado como tal devido aos cremes todos. Desse jeito, em vez de obstetra, parecia que nosso parto seria feito por um dentista. Fora isso, a médica proibiu a gente de fazer sexo até pelo menos tirar os pontos. A Ana ficou com medo de que os pontos, que pra ela pareciam de fio de cobre, fossem me espetar enquanto a gente transava escondido de nós mesmos.

Plano B

na pede dinheiro no semáforo com Lucia no colo.
Maria faz malabarismos.
E eu pego esse dinheiro e bebo tudo em pinga.

A vida é uma aventura

sta é a campeã da playlist destes dias: *Life is an adventure*, do Violent Femmes, junto com a trilha original do filme *Juno*, especialmente *Tree hugger*. Temos mais três meses, com sorte, até o nascimento. O quarto da Lucia ainda é um depósito de caixas da mudança que não chegamos a desempacotar. E essa louca transição de filho para pai? Começa com os gatos, Mao Tse e Lacan, ganha velocidade na convivência com a minha enteada, Maricotinha, e terá como cerimônia de graduação a chegada da Lucia.

Ontem Maricota perguntou:

– Rê, se você fosse escolher os gatos de novo, você escolheria os mesmos gatos?

Pensei bem e respondi:

– Sim. Eles são bagunceiros, quebram coisas e fazem barulho, mas são os meus gatos e tenho muita sorte de ter adotado eles. Eles são os gatos do meu coração. E você, se fosse eu adotando os filhotes, você escolheria o Mao e o Lacan ou outros gatos?

Uma pequena pausa e a resposta vem com convicção:

– Os mesmos gatos!

Apenas 7 anos e ela já tem questões sobre o amor ser incondicional ou não. Apesar de horas antes da pergunta o Lacan ter roubado os bifes crus que seriam nosso jantar de dentro de uma tigela tampada, pasmem, é claro que a pergunta é muito mais sobre ela mesma do que sobre os pobres felinos larápios... Acho que essa aventura vai ser interessante.

Placenta

No começo da gravidez não existe placenta, só o "ovo lúdico" que certos médicos devem comer cozido no café da manhã.

Sempre imaginei a placenta como uma coisa meio líquida, meio transparente, que traz alimento e leva sujeiras embora. Uma coisa tão boa pro bebê que poderia ser uma santa na Igreja Católica, com altarzinho e tudo. Até que eu descobri que a Santa Placenta só faria sucesso em igrejas onde se adorassem Cthulhu, Xenu e Alien, o oitavo passageiro.

Ainda tomado de admiração, decidi procurar informações sobre essa protetora dos girinos humanos. Abri a Wikipédia e ainda não sei se fiquei mais chocado com as informações ou com as imagens.

Em primeiro lugar, placenta não é líquido amniótico, que é a gosma transparente na qual o bebê flutua. Só esquecem de avisar que o bebê passa nove meses ingerindo e excretando aquilo, depois repetindo o processo. Não é à toa que, quando o bebê nasce, ele se despede de vez do fluido amniótico fazendo seu primeiro cocô, que é preto-esverdeado, com consistência de graxa, e tende a horrorizar até pais que já foram avisados. Esse aparente derivado de petróleo tem até nome próprio, o tal "mecônio", um nome muito mais adequado a dinossauros mecânicos gigantes feitos de material radioativo que a uma coisa que sai de um bebezinho tão bonitinho.

A placenta vai ficando escura com o passar da gravidez, chega a meio quilo e tem dois lados, um sangrento e assustador, que gruda no útero como uma sanguessuga, e outro ligeiramente menos horripilante, assim feito para que o bebê não fuja horrorizado assim que tiver desenvolvido a visão. Ela é tão tenebrosa que certamente foi a inspiração de inúmeros filmes de terror e incontáveis pesadelos. Existe um peixe que se parece com ela, o peixe-bolha, nos levando a perguntar que criador de universo, se o houvesse, teria feito dois monstros das profundezas assim tão parecidos.

Além de assombrar o sono de quem a vê, a placenta funciona como um advogado de porta de cadeia, entre a mãe, representada pela parede do útero, e o bebê, representado pelo cordão umbilical. Ela traz oxigênio e nutrientes (cigarro e chocolate na versão cadeia) e leva sujeira e detritos embora (provas de crime e ordens de arrastão). Assim como a polícia pode decidir dar uns tabefes no detento, o sistema imunológico da mãe pode querer atacar o bebê. A placenta, tal qual um advogado tornado refém em rebelião, serve como uma barreira protetora para que isso não aconteça.

Mas como uma coisa tão útil pode ser tão assustadora? Como, desde os primórdios da humanidade, os pais, parentes e parteiras controlam o instinto de fugir dali antes que aquele "alien" pule e grude na cara deles? Cada cultura tem sua forma de lidar com isso. Como sempre gostei de antropologia, decidi aprender mais.

No mundo ocidental, ela é incinerada no hospital. Posso apenas presumir que na Idade Média ela fosse queimada junto com as bruxas, sem jamais ter feito uma confissão sequer. Entre os nativos da Colúmbia Britânica, placenta de menina é enterrada para que a menina aprenda a ser uma boa cavadora de mariscos. A dos meninos é dada aos corvos para encorajar futuras visões. Posso apenas presumir que são visões de meninas sendo devoradas por mariscos placentários.

No Nepal, ela é considerada uma amiga do bebê. Se as distâncias não fossem tão grandes e cheias de ladeiras, aposto que seria até convidada pras festinhas. Na Malásia, é uma irmã mais velha (e deve ter um método misterioso pra cobrir os bebês de porrada). E na Nigéria é considerada um gêmeo falecido, com direito a ritos fúnebres. Assim descobrimos que a piada "jogou fora o bebê e criou a placenta" tem origem nas profundezas dos infernos, digo, do inconsciente coletivo. Me pergunto como os nigerianos ainda não incorporaram isso às suas fraudes de e-mail: "Olá, sou a placenta do presidente deposto e tenho uma fortuna congelada no banco".

Isso nos deixa com o último e assustador tópico, o das pessoas que, ao invés de serem comidas por placentas alienígenas, dão o troco e acrescentam a placenta ao cardápio. Ninguém sabe se Tom Cruise comeu a placenta da filha conforme prometido, mas minha irmã comeu, transformada em cápsulas, mas ainda assim. Na China, acreditam que ela tenha propriedades medicinais. É uma questão de tempo até o dia em que a placenta seja incorporada à alta gastronomia francesa, como sopa de tartaruga e placenta, passando pelo sashimi de placenta no Japão e finalmente x-placenta no McDonald's no mundo todo. A placenta entra na categoria das vacas, que fornecem alimento e depois viram alimento. Então descobrem que o brasileiro, como sempre, esteve na vanguarda, com seus famintos vasculhando o lixão hospitalar. Isso até as madames começarem a aplicar rodelas de placenta no rosto pra prevenir olheiras; aí não vai dar pra todo mundo.

Depois de tudo isso, só me resta passar a mão na barriga da grávida e dizer: "Crianças, não briguem, tá?"

O que você faz quando aparece na porta o primeiro vagabundo a tocar a campainha?

Foi a pergunta que fiz pro meu sogro, pai de três filhas. Afinal, sempre ouço histórias de filha de alguém saindo com cada tipinho esquisito...

A resposta foi uma expressão de espanto e estranhamento, seguida da frase:

– Campainha? Você dá graças a Deus. Finalmente vai conhecer um dos desgraçados que saem com sua filha. É muito melhor que eles toquem a campainha do que ficarem entrando pela janela.

Achei muito engraçada essa coisa de entrar pela janela, até que me dei conta de que eu mesmo só o conheci depois que a filha dele já estava grávida da Lucia. Hmmm, lasquei-me.

Cursinho de paternidade

Dado que minha grávida alega ter esquecido muitas coisas que aprendeu em sua primeira gravidez, sete anos antes, e dado que eu nunca aprendi essas coisas, fomos fazer o tal cursinho para pais ministrado no hospital. Sempre desconfiei que o objetivo ali era só me fazer ir ao tal cursinho pra ela se sentir mais segura e pra poder dizer que não foi ela e sim o médico que disse que o bebê precisa arrotar depois de mamar – e outros exageros.

Óbvio que não foi isso que aconteceu e que a cada aula ela se sentia menos segura. Distribuíram bonecos de pano que seriam os bebês-cobaia. Um absurdo um cursinho pago não arrumar em algum lugar um bebê de verdade. Quando me dou conta a Ana me olha toda constrangida e os outros pais também, com certa consternação por eu ter dado nós nos braços e pernas do boneco. Minha cara de "mas é só um boneco" não surtiu efeito – que gente séria! Eu não deveria ter perguntado em voz alta por que fomos sorteados com o boneco feio, mas pra que tanta indignação? Boneco não é filho, mas tinha uma turma de pais ali com cara de quem já estava planejando mandar o boneco pra Disney.

Aliás, uma das melhores coisas do cursinho é ver os outros pais e perceber que tem muita gente ainda mais despreparada que você, se é que isso é possível, e com dúvidas muito mais ridículas que as suas. No mínimo, são as mesmas dúvidas esdrúxulas que a gente tem e não tem coragem de perguntar, e graças a Deus esses outros incautos perguntam por você, poupando assim demonstrações de ignorância em um momento tão delicado; a gente mal quer parar o carro pra pedir informação de caminho, imagina admitir que não sabe dirigir criança. Nessa hora você quer impressionar a grávida com sua sabedoria. Eu até expliquei como se executa um parto (água quente, pano, cabeça sai, apoia, vira, tira um ombro, tira o outro, rói o cordão com dentes, dá parabéns), mas a essas alturas já sabíamos que seria uma cesárea. E a grávida não quer saber se você sabe fazer parto, ela quer que você não derrube o bebê no banho. Ela não acredita que por trás dessa fachada você de fato aprendeu algo.

Voltando aos outros casais, eles eram de todo tipo, de todas as cores, de todas as idades. A maioria deles quer tirar dúvidas muito específicas ou fazer terapia. "Tenho 40 anos e estou grávida pela primeira vez; meu parto isso ou aquilo?", diz a grávida que veio acompanhada de sua avó-mãe-namorada. "O meu bico do seio é duplo-reverso negativo em baixo relevo; você acha que o bebê vai gostar?", pergunta a grávida de grandes bochechas rosadas e tailleur; e pérolas como "feto ouve os pais brigando? Não pela gente, mas eu tenho uma vizinha..." e, claro, "eu", "meu", "seio assim", "parto assado", "bebê isso", "vizinha aquilo". Talvez tenham sido ditas outras coisas importantes, talvez na hora em que eu estava cedendo à irresistível e inconfessável tentação de comparar a minha grávida com as outras grávidas.

Mas vale mencionar duas coisas que aprendi:

1. O papel do pai no parto é não desmaiar e, no pós-parto, expulsar todo mundo do quarto da maternidade.
2. Cuidado com os palpiteiros. Escolha bem seu pediatra e confie nele.

Os palpiteiros têm intenções legitimamente boas e falam com amor, experiência e senso comum, mas o conhecimento na área de gravidez e pediatria evolui muito rápido, às vezes para, enfim, regredir e mudar de direção, e mães, avós, sogras, amigas e parentes em geral não conseguem acompanhar tudo isso. O que era certo na época deles pode ser hoje a opção mais arriscada. E o que escolhem pra usar de exemplo? Prepare seu coração: "síndrome da morte súbita em bebês".

O terror definitivo: a síndrome da morte súbita em bebês

E u ouço esse nome e congelo: "Não! Como pode ser? Não faça brincadeiras assim de mau gosto, dona enfermeira". Ela continua dizendo que a síndrome da morte súbita em bebês – "não, duas vezes não!" – é uma síndrome na qual os bebês... morrem. Subitamente. Enquanto dormem. Aterrorizado, repito mentalmente cada palavra com crescente temor. Exceto "bebês", que repito com surpresa. Como se fossem meus os hormônios correndo descontrolados, sinto vontade de chorar por todos os bebês subitamente "morridos" e por seus pais. Ela continua e diz que médicos e cientistas não sabem por que isso acontece. "Ah, que ótimo!" Mas que, segundo as estatísticas, um número maior morre de bruços. A enfermeira explica que antes disso todos os bebês dormiam de barriga pra baixo, e agora dormem de barriga pra cima ou de lado. Ela diz isso e faz cara de segurança, mas não me sinto reconfortado. Alguém pergunta se na outra grande maternidade de São Paulo eles fazem assim também. Ela diz que não, que lá eles têm uma teoria maluca que de barriga pra cima é a segunda posição em que isso mais acontece e que bebês devem dormir de lado. "Meu Deus, não há sequer um consenso." Tento segurar meu mal-estar pra não contaminar minha querida grávida com preocupações. Olho pra cara dela e logo vejo que isso não era necessário – ela estava segurando a barriga com cara de que daria um murro no queixo da primeira síndrome que se aproximasse. Depois disso prometem nos mostrar como é um parto, mas só mostram uma cenas estranhas de ficção científica, um cavalo piscando o olho e acho que depois disso eu devo ter desmaiado, já que não consigo acessar essa memória. Meu inconsciente sabe o que faz. Embora digam os profissionais que, por definição, inconsciente não sabe não.

A Lucia ia nascer no outro hospital, mas nasceu nesse do cursinho mesmo. O pediatra que trabalhava no hospital onde ela deveria ter nascido mas que não tinha vaga no dia vinha visitar e colocava ela de barriga para cima. As enfermeiras colocavam de lado. A pequena virou um ioiô entre duas correntes médicas sobre a interpretação de estatísticas. Como 100% das pessoas que morrem bebem água e quem sabe 5% das pessoas que morrem bebem uísque, concluo que pra ser pai preciso beber mais uísque. E que os pesquisadores desse assunto certamente se encontram entre os 5% que bebem uísque também.

Samuel para presidente!

Samuel, meu sobrinho que mora em Miami, mal tem 2 anos e toca bateria. Aposto que ele toca melhor que eu, que mal consigo estalar os dedos no ritmo. Ele fala português em casa, inglês com o pai e espanhol na escola. Não sei como não embanana tudo; eu quando volto de viagem acabo por algumas semanas falando um português bastardo. Ontem, por iniciativa própria, ele largou a chupeta. Sem brincadeira. Um guri de 2 anos de idade, sentado à mesa do jantar, emitiu um pronunciamento no qual disse que já é "gandinho" e que não vai mais usar a chupeta, a mesma que, junto com seu ursinho de pelúcia, fora sua companheira inseparável em todas as noites até então. Foi lá e jogou a chupeta no lixinho do quarto, orgulhoso. Não conseguiu dormir a noite inteira e começou a chorar lá pela uma da manhã, mas não voltou atrás na decisão nem foi buscar a chupeta no lixo. Se eu fosse minha irmã ou meu cunhado, escondia imediatamente a chave do carro, trancava o armário de bebidas e abria o olho se ele de repente pedisse uma caixa de balões de festa, lubrificados.

Gatos

Em certa época da minha vida me bateu uma imensa e inescapável depressão. Eu errava dia e noite pela casa vazia, onde aliás passava muito tempo. Em vez de pensar na causa do problema, fiz o que qualquer pessoa normal faria: procurei paliativos. Decidi adotar um gatinho. Adotar é a palavra, porque gato se adota, não se compra. Não faz sentido pagar por um gato de raça cheio de problemas genéticos quando você pode adotar um gato sem lar, que pode até ter outras doenças, mas fora isso é forte como um sertanejo. Fui até um abrigo e fiquei na dúvida entre dois filhotes tigrados em cinza e preto. Me convenceram a levar os dois, que afinal poderiam fazer companhia um pro outro enquanto eu não estivesse em casa, onde já bastava um ser vivo deprimido, e também porque eram irmãos e seria triste separá-los. A casa ganhou vida, e os filhotes ganharam casa. Parecia uma situação do tipo "ganha-ganha".

Foi a primeira vez que tive gatos. Gato próprio é melhor que gato dos outros, mas mesmo assim pode ser um pouco frustrante para quem não está acostumado. Eles não vêm quando você quer que venham e a necessidade de carinho que manda é a deles, não a sua. Azar seu se você está carente, eles vêm quando querem e olhe lá. Às vezes eu ficava inconformado e perseguia os pobres pela casa com o nobre intuito de fazer cafuné, quer eles quisessem ou não, afinal eu sou o humano e não seria dominado por um par de gatos... Mal sabia eu. Eles se escondiam no fogão, em uma parte inacessível, como o porquinho-da-índia do Manuel Bandeira. Um deles miava fazendo um miau sem i – um "mau". Chamei de Mao Tse-tung. O outro era mais lacônico e miava pela metade, um "mi". Chamei de Lacan.

Primeiro eu proibi o zedunguinho e o laquito de entrarem no meu quarto, depois liberei o quarto mas não a cama, depois a cama mas não o travesseiro. No fim dormia um no meu pé, como uma pantufa, e outro na cabeça, como um chapéu de Daniel Boone. E depois disso, quando tentei reverter a situação pra eles dormirem novamente na sala, o estrago estava feito. Resultado: dois gatos arranhando irritantemente a porta, a noite toda. Que raiva! Era o prenúncio das noites sem sono que viriam. Quase estrangulei dungo e quito, selvagens malditos.

Na verdade foi a primeira vez em muitos anos que me preocupei com algo que não era eu mesmo, e isso além de me trazer alívio me ajudou a sair do buraco. Quando eu conheci a Ana, alguns anos depois, já era outra pessoa. Fora que aprender a amar um bicho que destrói seus móveis, não obedece, faz zona quando você quer dormir, derruba as coisas e bebe água da privada é um excelente treino de paternidade e de paciência. O bebê na barriga teria muito a agradecer a esses gatos, que fizeram um belo trabalho de amaciar o papai.

Terceiro trimestre:
Godot, preparativos e pânico

O ataque do esquadrão antigatos

nquanto a facção insensível[10] da minha família se mobiliza após o almoço em um movimento antigatos, o plano de saúde o faz em um movimento anticobertura, jogando no nosso colo uma volumosa conta de hospital daquela cirurgia de emergência. Nesse meio-tempo, terminam as aulas na maternidade.

O coro antigatos baseia-se em mitos e apresenta de forma terrorista seus argumentos catastrofistas, só que não são argumentos e sim crendices. Podemos resumir sua posição com a seguinte frase: "Gatos fazem mal para grávidas e bebês".

O tal curso na maternidade não cita gatos, mas fala do grande perigo representado pelos palpiteiros e seu pseudoconhecimento. Diz a enfermeira: "Na época em que seus pais nasceram, não se limpava ou mexia no coto umbilical do recém-nascido. Hoje sabemos que isso foi responsável por um alto índice de mortalidade infantil, e mesmo assim os palpiteiros dirão que foram criados assim, ou que criaram seus filhos assim, e não morreram".

Hospitais são lugares a que as pessoas vão pra morrer ou pra nascer – ou, mais exatamente, lugares onde arrancam seu sangue, sua pele e os olhos da cara. O que é redundante, afinal o plano de saúde faz a mesma coisa. A conta que ambos que-

---

10. Insensível a gatos, sejamos justos.

rem pendurar na gente é de meros sete mil e quinhentos, em que até suspiros são cobrados e também superfaturados.

O esquadrão antigatos recusa-se a apresentar argumentos, impossibilitando qualquer conversa civilizada sobre o tema. Eles pontificam: "Os gatos vão causar doenças", mas não sabem quais. Não citam sequer a mais óbvia, toxoplasmose, de modo que não posso explicar que, de acordo com o ciclo de vida do parasita, é impossível um gato que não sai de casa e não come carne crua contraí-la. As crenças do esquadrão remontam à Idade Média e à bruxaria.

É claro que o curso da maternidade não é exatamente um laboratório de ciência. Afinal, ganhamos um curso-card, que dá desconto em lanchonetes, estacionamentos e congelamento de células-tronco do cordão umbilical. Os caras do congelamento parecem ser os patrocinadores do curso. Aliás, esse movimento todo é muito estranho.

A proposta do esquadrão é: "Livre-se dos gatos". O esquadrão é incapaz de compreender que se possa amar bichos de estimação. Propõe que sejam abandonados no mundo, preventivamente. Para o esquadrão, o amor aos gatos é descartável, ou incompatível com o amor aos filhos.

Ao contrário do que se pensa, a ciência não é uma nova religião. A religião acredita em certas coisas e sua crença não vai mudar nunca, aconteça o que acontecer. A ciência é capaz de rever seus conceitos e propor que é a Terra que gira em torno do Sol. A religião, que por sua vez gostava da ideia da Terra no centro do universo, queimou um monte de gente por causa disso. Já dizia o Tequila, filósofo medieval: "A verdade dói e a mentira é o único remédio".

Os gatos de certa forma são crianças que nunca crescem (ao contrário de crianças que não se permite que cresçam), e toda separação é dolorosa. Mesmo assim, se houvesse alguma razão legítima que incompatibilizasse meus gatos e minha filha, eu procuraria (aos prantos, possivelmente) um novo lar para os gatinhos.

Mandei ao esquadrão alguns documentos com informações sobre gatos, gestantes e bebês. Recebi uma resposta dizendo: "Não li e não ligo, afinal já sei de tudo". Respostas assim fervem-me o sangue. Quem sabe, para felicidade geral da nação, um dia eu aprenda a ficar quieto.

Eu sei que estou muito mais para reles, porco, vil, irresponsdivelmente parasita e indesculpavelmente sujo do que para semideus. Mas, no fim, somos todos meio cegos e vivemos na escuridão. Menos os gatos, que enxergam no escuro.

Entre o real e o imaginário

Em um piscar de olhos, entramos no sétimo mês. Isso significa que, se a Lucia nascesse hoje, ela sobreviveria, ainda que mãe e filha passassem uns dois ou três meses no hospital. Eu tenho uma filha pronta. Oi, filha! Ela se mexe muito, reage ao som da minha voz e encosta a cabecinha dela na parede da barriga pra eu fazer carinho. E quando eu ponho a mão na barriga e digo "toca aqui" ela bate com a mão. E quando eu pergunto o resultado de certas operações matemáticas ela responde com chutinhos. Perguntei quanto dava dois menos um e ela respondeu com uma batidinha. Perguntei quanto dava dez mais dez e ela quase quebrou as costelas da Ana. Aí resolvi tentar algo mais complexo e perguntei pra ela a raiz quadrada de menos um. Sabe o que ela respondeu? Nada! Deixou a cargo da minha imaginação, sinal que é um bebê inteligentíssimo, afinal a raiz quadrada de menos um é i, um número imaginário. Para completar, ela permitiu que a gente presenciasse uma apresentação musical, executada de dentro do útero. A sinfonia apresentada foi uma famosa obra performática de John Cage, *4'33"*, composta em 1952 sem uma única nota musical que seja.

Trinta e quantas semanas?

rinta e três semanas de gravidez. No fim das contas, achei esse estado de gravidez simplesmente adorável: dois seres ocupam provisoriamente o mesmo corpo e nenhum deles é satã, muito pelo contrário, são seres pelos quais você nutre muita simpatia. Gravidez é o máximo, exceto nos momentos em que parece uma TPM piorada. Olho para aquela enorme barriga e ainda vejo uma barriga. Aquela coisa de olhar pra barriga e ver o bebê, pra mim, só com visão de raios X. Mas é uma barriga que se mexe como se um alien lá residisse. Ser mãe deve ser uma experiência muito louca, mais do que ter vermes. O alien, digo, a filha está enorme, ativa, e estes dias resolveu mudar de posição. Como assim, como é que um bebê decide mudar de posição? Ela, que já estava de ponta-cabeça, encaixada no quadril, resolveu ficar de lado, como um bebê de colo. Dá mesmo pra fazer carinho na cabeça dela por cima da pele da barriga. Hoje Maria acordou cedo e veio pro nosso quarto, abrindo a porta e deixando entrar os desesperados gatos – que passaram a manhã toda arranhando a maldita porta como se nela fossem cavar um túnel. Os gatos estão assim porque não dormem mais com o pai, e a Maria porque não dorme com a mãe. Pobres gatos e gatinha. Então o Mao miava pedindo pra levantar o lençol pra ele poder entrar e ir até meu pé, já que gosta de dormir na posição "pantufa". Lacan tentava se aninhar em cima da minha cabeça – yin-yang que são esses gatos –, parecendo um chapéu de Daniel Boone, uma referência que entrega minha idade. E Maria aninhou-se na mãe e resolveu iniciar um diálogo em morse com a irmã, passando então a próxima meia hora comunicando-se por batuques. Devia estar ensinando a música dos *Padrinhos Mágicos*, uma versão cuja letra diz: "Adultos são inúteis e só servem pra encher, lá-lá-lá-lá". Algo assim. Se ela souber transformar morse em música e nascer cantando essa aí em vez da música que eu ensino quase como uma lavagem cerebral ("Só o papai é legal! Só o papai é legal! A mamãe é bacanaaaaaaaa... E só o papai é legal") vai voar pedacinho de privilégio de TV pra todo lado. Os privilégios de videolocadora, sabemos, foram revogados já.

La vie en rose

Lucia é muito ativa e se mexe com intensidade. Dá pra ver pelo lado de fora, e sempre que sinto ela se mexendo sob minha mão tenho calafrios. Ana continua arrumando trabalhos pra fazer, já que nossa vida é razoavelmente apertada. Diz ela que, durante um seminário ontem, teve que fazer pressão com a mão pra Lucia não subir demais e comprimir o diafragma. Lucia, mais do que esperta, dizendo "ah, é?", deu um giro e chutou o diafragma por trás da mão, causando um profundo gasp na pobre de sua mãe. Não vejo a hora de ensinar kung fu pra ela. As pessoas no tal seminário devem ter estranhado, achando que a Ana queria dizer alguma coisa ou que grávidas são loucas. Onde já se viu pensar uma coisa dessas? Já tentei ensinar kung fu[11] pra Maria, mas nosso treino sempre acaba em guerra de cócegas.

Maria anda um pouco birrenta, oscilando entre o amor pela irmã não nascida e um profundo ciúme, pelo qual sente culpa, e por isso não sabe bem o que fazer. Faz uns dias ela, que aprendeu a ler esse ano, encostou a cabeça na barriga da mãe e leu um livro inteiro para a irmã, *As rosas inglesas*, da Madonna. Ficamos todos orgulhosos, tanto pela leitura quanto pelo laço de irmãs que se formava. Mais tarde, talvez como um contrapeso, Maria ficou falando com voz de bebê, pressionava a cabeça na virilha da mãe e dizia: "Mãe, eu quero entrar pela sua pretche-

---

11. Meu irmão ensinou à Maria a técnica do chute-no-saco. Ela aprendeu e minha vida ficou mais tensa por isso.

quinha, eu quero voltar lá pra dentro". Eu disse: "Todos queremos, mas parece que está ocupado".

Hoje devem chegar as cortinas e o berço da Lucia, transformando o que era um depósito de caixas em um quarto de bebê. Em boa hora, já que é improvável que a gravidez se estenda mais um mês. Ana tem sentido "alterações", e nada impede que esse tal de nascimento aconteça a qualquer hora. Já ofereci aquela máquina que transfere parte da dor do parto para o pai da criança, afinal o leiteiro é um puta de um folgado e ele bem que merece sofrer um pouco.

Tendo passado da pré-escola para o ensino fundamental, Maria convive com muito mais crianças que antes, e assim fica exposta a mais modelos de mundo e de família. Aparentemente, na escola dela existe uma quantidade razoável de um surpreendente fenômeno: o dos pais ainda casados. Corta para Ana e filha preenchendo cadastro no supermercado. A atendente pergunta: "Estado civil: casada ou solteira?" A Ana mal abre a boca pra falar e a Maria se adianta e diz: "Você não é casada com o Rê, mãe". De fato. Se estivéssemos casados talvez ela se sentisse mais segura, se bem que ela já sabe que isso não é garantia. De repente a Maria diz que tem saudade de quando seus pais eram casados.

– Filha, do que exatamente você tem saudade?

– Não sei, mãe.

– Me dá um exemplo.

– Ahn... teve uma vez que eu me queimei e o papai brigou com você por isso.

– E você tem saudade disso??? Filha, eu e seu pai tivemos momentos ótimos, mas quando a gente brigava nenhum dos dois ficava feliz.

– Ah, mãe, não sei explicar, mas tenho saudade.

Ela não sabe explicar, mas Freud certamente saberia. Lacan – o original, não o gato – também saberia explicar, mas ninguém entenderia.

Além da saudade dos pais casados, ainda tem a saudade da mãe exclusiva, afinal antes de mim moravam só as duas... Depois ela passou a dividir a mãe comigo e agora vai dividir com a irmã também... Isso força a Maria a crescer e deixar de ser o bebê da casa. A vida de ninguém é cor-de-rosa.

O último dos ultrassons

Assim como o cinema falado acabou com o cinema mudo, o bebê ao vivo acabará com as sessões de cineminha no laboratório, ou, como diz a Maria, o videoclipe do bebê. Ao contrário do cinema de Hollywood, em que as sequências são muito piores que os originais, o cinebebê fica cada vez mais legal. Fora que a gente já se acostumou com o elenco e não vê a hora de carimbar o pezinho na calçada da fama.

A Lucia já ultrapassou os dois quilos, o que é mais uma boa razão para essa tal de gestação acontecer fora do saco do pai. Isso tudo graças à antidieta da Ana, por conta da qual sou forçado a entuchar nela goela abaixo uma média de oito bifes e cinco ovos por dia, como se ela fosse um ganso cujo fígado vai virar foie gras.

A essas alturas dá pra ver tantos detalhes do bebê que já é possível contestar a paternidade. Pela quantidade de cabelo naquela cabecinha, o meu primeiro suspeito de "verdadeiro pai" é o Primo Itt, da *Família Addams*. Pelas bochechas poderia ser o Quico, do *Chaves*. Para a mãe, que é deveras suspeita, basta olhar pra boca, que segundo ela é idêntica à minha, o pai presumido. E, no meio do último dos ultrassons, a pequenina sorriu pra gente. Juro. Perguntamos pro doutor se poderia ser mesmo um sorriso ou se foi um espasmo, gases, sei lá. Diz o doutor que nessa idade os bebês já acham graça da massagem que o transdutor faz na barriga, e que ela estava rindo mesmo. Lágrimas de todos, menos do médico, que deve ver isso todo dia. E a Maria pálida de espanto.

Além dos atores, a locação também foi alvo de aplausos. O colo do útero, cenário principal de nosso filme e que não aguentaria 600 gramas de criança sobre ele, virou uma verdadeira muralha medieval, trancado à base de cerclagem; no lugar de óleo fervente, doses massivas de progesterona. Ninguém entra, ninguém sai. Aríetes proibidos, em tese.

Parto em casa, feito pelo pai, inclusive cesárea

Ontem a Lucia se mexia de tal maneira que me parece claro que ela quer nascer logo. Parecia um gato dentro de uma sacola ou a cena em que o Alien rasga a pele e sai, só que nesse caso, como um sapo de desenho animado antigo, sairia cantando *Hello! Ma baby*. É como se fosse um bebê fora da barriga esperneando muito, mas ainda dentro da barriga. Na minha visão antiga, a existência começaria com o nascimento, e até então o bebê ficaria, sei lá, vegetando, soprando bolhas de sabão, pensando sobre tricô, se vai chorar assim ou assado. O bebê depois do nascimento é igual ao bebê antes do nascimento, a diferença é só de algumas horas – e passar pelo processo excruciante que é nascer. Isso parece óbvio, mas, assim como eu, meus amigos também ficam chocados ao perceber o grau de atividade de um bebê de 9 meses. Ontem, posso jurar, a Lucia estava com soluços, ou algum outro tipo de espasmo periódico cujo efeito se parece barbaramente com soluços. Como ainda não temos autorização do convênio pra fazer o parto, se a bolsa estourar eu mesmo faço. Puxa, gira, tira um ombro, o outro, e voilà! Eu sei fazer parto. Se eu pus lá dentro eu posso tirar. Depois, corto o cordão com os dentes. Se for cesárea eu devo precisar de ajuda pra fazer a incisão, talvez uma chave tetra pra usar como bisturi. E barbante, acho que precisa fechar depois de alguma forma. E tampão de ouvido, que gente gritando me dá dor de cabeça. E, como anestésico, doses cavalares de uísque, mas só pra mim.

O bebê que pagou o próprio parto

Fomos escolhidos para ser a família feliz de uma conhecida marca de cosméticos naturais, que vai lançar uma nova linha de produtos para grávidas. Recebemos um e-mail dizendo que estavam procurando uma grávida de 8 meses que já tivesse uma criança e um pai presumido. Fomos ao teste e passamos. A sessão de fotos foi em uma mansão maravilhosa projetada pelo Arthur Casas em Alphaville, não do Godard, aquela outra mesmo, mais esquisita. Pé-direito de uns sete, oito metros de altura, vidros, paisagismo, do jeito que eu gosto. Parece que querem vender por sete milhões. A Gisele Bündchen, que estava tirando fotos lá na semana anterior, disse que pagaria no máximo dois.

Aí fomos pro figurino. Imagine alguém que, na maior parte do tempo, prefira usar preto. Esse sou eu. Imagine no outro lado do espectro aqueles loucos de cultos estranhos que só usam branco, acho que médicos e maharishis. Em algum lugar à esquerda do centro estavam as roupas cáqui, estilo Richards. Pois é, entre a Richards e os loucos de branco estava o meu figurino. Nunca estive tão clean. Somado ao fato de que abaixaram o meu topete; fiquei meio quieto durante o dia e passei a ser chamado de Anti-Rê.

A minha parte do trabalho não podia ter sido mais fácil – sentar no sofá e ser natural com a Ana, a Maria e a barriga, enchendo-as de beijos e carinhos. Acreditem, fui pago pra ir a uma mansão beijar minhas meninas. E o almoço estava bom.

A Maria achou um barato seu primeiro trabalho de verdade, e também teve um choque de realidade, já que as aulas de teatro que ela faz são muito mais legais. No fim, acho que ela não gostou tanto de o fotógrafo ficar pedindo pra ela fazer isso, fazer aquilo, beijar mais devagar etc. Mas também teve seu cachê, que vai virar uma poupança pra faculdade ou o que quer que ela queira fazer com isso aos 18 anos.

Já a jornada da Ana e da Lucia foi bem maior, dois dias, e mesmo no segundo dia a maior parte do trabalho foi delas. No final, a Ana estava com dor e achando que a Lucia já ia nascer; saímos correndo de Alphaville, mas era alarme falso. Sinal que foi cansativo mesmo.

E assim, numa época em que, mesmo com um monte de empregos e trabalhos em paralelo, estávamos muito preocupados em conseguir pagar todos os custos, a pequena Lucia saiu na frente, cercada por uma linda barriga, e cobriu todos os custos do parto, assegurando uma chegada mais tranquila, ou, no mínimo, um uísque melhorzinho pro parto em casa. Lucia, o bebê que antes mesmo de nascer pagou o próprio parto.

Mas se alguém me vir em propaganda de margarina por aí, pode trazer a cicuta que eu tomo. A não ser, é claro, que a propaganda de margarina pague bem. O parto está pago, mas escola também é cara.

O fim da babá tuberculosa que preparava maravilhosos tubérculos

Após longuíssima e tortuosa procura, encontramos a babá ideal. Uma baiana chamada Joana, ex-babá de uma grande amiga da Ana que foi editora de uma revista tipo "pais e filhos crescendo em família". Veio bem recomendada, com um curso de, sei lá, especialização em babá. Tinha um porém: morava em Taubaté, ou Tamboré, e preferia dormir no emprego. Como a casa tinha quartinho de empregada, topamos. E não é que essa senhora babá cozinhava divinamente? Fazia anos que eu não comia tão bem todos os dias. Mas como nem tudo são flores, a babá tinha crises de tosse, daquelas de tossir a noite toda como um urso engasgado. Pedimos pra ela fazer alguns exames e descartamos as doenças contagiosas. Mesmo assim não seria bom ela tossir no bebê – ou na comida. E, claro, ela não gostava de fazer limpeza, da bagunça dos gatos, disso, daquilo, reclamava da TV que eu comprei pra pôr no quarto dela, para minha ululante indignação, e ainda por cima tinha a pressão tão alta que dava pra circular o sangue de uma baleia cachalote. Ou seja, a mulher podia cair morta a qualquer momento, com bebê no colo e tudo. Ela continuou até a gente achar alguém pra substituir. Mas nunca pegou a Lucia no colo. Não de pé. Só sentada, como a gente faz com trisavó velhinha. E se aparecer alguém que cozinhe bem, eu mesmo posso tossir na comida.

72 hours to go:
I wanna be sedated [12]

Um monstruoso frio na barriga. Uma sensação de felicidade. Medo e felicidade. Parece o repuxo do mar, aquele momento em que a água desce antes de bater a próxima onda. Como será a carinha dela?

Estamos de parto marcado para daqui a três dias, uma segunda-feira. Talvez isso me torne menos odiador de segundas, como o Garfield. Vai ser cesárea mesmo, não tem jeito, para grande tristeza da Ana. Ao retirar os pontos da cerclagem, a doutora viu que tinha uma boa dose de fibrose ali na boca do balão, de modo que mesmo sem os fios o colo do útero continua amarradinho. A tal muralha intransponível podia segurar a Lucia até os 18, 20 anos. O risco seria o seguinte: quando o bebê começasse a forçar a saída, o útero poderia se romper em algum outro lugar. A pequena já tem quase três quilos e chegou até o final da gravidez, o que é fantástico, considerando que havia a probabilidade de ela nascer prematura. Essa menina é um prodígio. Todo mundo me liga pra dizer que sonhou com a Lucia nascida. A mulher anda com barrigão de nove meses pra lá e pra cá e esse povo acha que sonhar com parto é premonição. Ora, vá! E como será a carinha dela? Os dedos contabilizarão vinte, corretamente distribuídos em grupos de cinco? Será que eu vou desmaiar?

Lucia, eu sei que você parece um joelho, mas você é minha filha e eu vou muito com a sua cara.

---

12. Como na canção dos Ramones: *Hurry, hurry, hurry, before I go insane / I can't control my fingers, I can't control my brain.*

Os Ramones tinham razão: faltavam mesmo 24 horas

foram.

Lucia nasceu no sábado, às 18h19.

Não tive tempo nem de tomar cachaça. Assisti à cesariana e não desmaiei.

Mãe e filha passam bem.

Já o pai passa mal de tanta emoção. Nunca fui tão feliz.

Lucia tem os cabelos pretos, olho azul-escuro e nasceu com 2,745 quilos.

Nasceu azul e de gorro branco – uma verdadeira Smurf!

Pronto, fim do livro. Quê? Como foi o parto?

Ah, é mesmo. Vamos lá.

Pois afogue com feijoada as tais borboletas

Na sexta, noite anterior ao nascimento da Lucia, a grávida teve algumas contrações de verdade, ao contrário das contrações chamadas de Braxton--Hicks, homenagem aos peitos da cantora Toni Braxton ou, de forma menos interessante, ao médico que descobriu isso. As contrações eram um sinal de que nosso pequeno bóson de Higgs[13] queria ser observado à luz do dia. Essas contrações de verdade são tão contraídas que a barriga parece uma embalagem a vácuo, fica tudo definido. E não passam com Buscopan.

Passei a noite com uma sensação de nervoso inescapável, frio na barriga, borboletas no estômago, nó na garganta. Em um único dia entendi todas essas expressões. Acho que quase tive um treco, um colapso, algo se passava com "os nervos".

Mas acordei sábado com uma tranquilidade ímpar. Ligamos para a doutora Ana Paula Aldrighi, que resolveu antecipar o parto de segunda pra sábado no fim da tarde. Perguntamos se dava tempo de almoçar, ela disse que sim, e fomos almoçar no Pitanga, junto com minha mãe, um amigão, meu irmão e respectivas.

---

13. O bóson de Higgs é "um elo perdido da física, uma partícula que enche outras partículas de massa ao criar um 'melaço cósmico' que as une e confere volume ao viajarem juntas" (Dennis Overby, *The New York Times*, artigo reproduzido na *Folha de S.Paulo* de 19 de abril de 2010). Ninguém tem certeza que ele exista, mas por causa dele (entre outras razões) construíram na fronteira franco-suíça a maior máquina do mundo, o gigantesco LHC – Grande Colisor de Hádrons, com 27 quilômetros de perímetro.

Peguei uma salada de flores para alimentar as borboletas, que acharam tudo bucólico até que a feijoada fosse derramada sobre suas delicadas asas. Pedi uma cachacinha e recebemos uma ligação da médica, que deu a maior bronca porque não estávamos no hospital ainda. Foi minha chance de sair sem pagar a conta, mas também sem cachaça. Na verdade estava tão calmo que disse: "Esperem, minha cachaça não chegou!" Duramente repudiado pelo grupo, encaminhei-me para a saída. O parto, aparentemente, seria mesmo a seco.

Rejeitados pelo hospital em pleno trabalho de parto

Tendo sido privado de meu gole de cachaça, pus a grávida alimentada de flores e feijões no carro e segui para a maternidade. Durante o ano todo pagamos um extra ao plano de saúde para ter acesso a um super-hospital[14]. A médica liga de novo dizendo que já deveríamos estar lá. É óbvio que no meio do caminho tinha uma feira, trânsito e mais trânsito. Sábado em São Paulo. Chegando lá, vamos direto ao quinto andar, onde somos informados que a maternidade está simplesmente lotada, "sem leitos nem quartos". Ficamos esperando no ensolarado hall do elevador, a única parte do hospital inteiro sem ar-condicionado. A médica liga, pergunta se já fomos atendidos pela obstetriz e diz que, se não fomos, devemos insistir na recepção. A recepcionista, nada simpática, diz que até a obstetriz está lotada. Quando vejo, a grávida tinha sumido. Como alguém com aquela barriga desaparece assim?

Encontro a Ana em uma sala de exames, onde um médico muito jovem e mal-humorado, ostensivamente antipático – como se o plantão tivesse abortado alguma balada no litoral Norte –, afirma, em tom de reclamação, que as contrações estão espaçadas demais e nem são tão fortes assim. Nossa médica faz um trabalho de bastidores e pede pra gente ir correndo

---

14. Por "sugestão" da editora, a quem sou obrigado a respeitar para lançar este livro, decidi não mencionar o nome do hospital que fez a sacanagem do título.

pro São Luiz, que tinha vagas. Me controlo pra não socar o tal médico. Saímos com tanta pressa que esquecemos de pegar na recepção a identidade da Ana e a carteirinha do plano de saúde.

Praguejando, ofereço o braço à minha grávida e vamos para a saída do hospital. Explico à caixa do estacionamento o que aconteceu: hospital lotado, mulher em trabalho de parto, nós expulsos como Adão e Eva, e peço pra ela liberar os R$ 11 de estacionamento – nada mais justo. E não é que essa desgraça de hospital sequer libera o estacionamento? Me senti propenso a não sair dali enquanto não liberassem a droga do ticket, mas minha grávida tinha suas urgências e a contragosto paguei, era isso ou pegar um táxi.

Como o desgosto é um ser solitário que detesta andar sozinho, minha grávida pediu água. Não é que o segurança não me deixou entrar no hospital, onde vendem água? Eu teria que pegar a longa fila de cadastro de visitantes, depois preencher uma ficha e pegar um crachá só para ir ao restaurante comprar uma mera água. Inconformados, pegamos o carro e fomos com sede mesmo pro São Luiz, amaldiçoando o hospital e seus dirigentes até a última geração de antepassados que eles mesmos ou um exame de DNA fóssil consigam identificar. Bem feito pro famoso alemão ter sido homenageado com um hospital tão, digamos, apropriado.

Depois da bomba atômica aparecem os santos

Hospitais têm personalidade própria. Enquanto aquele que nos expulsou (no qual a maternidade parece algum tipo de concessão) é um baita de um arrogante, o São Luiz é humano e acolhedor – tendo em vista, claro, que hospital é hospital.

Na chegada, pergunto ao porteiro em qual estacionamento eu tenho desconto por ter feito curso de paternidade. Ele me explica, mas logo acrescenta que tem um outro estacionamento, um pouco mais longe, que sai por menos da metade por quatro dias de estada e que posso ir e voltar quanto quiser.

No São Luiz as cores são mais agradáveis e as pessoas te atendem com carinho. Gostei mesmo, apesar de nosso plano não cobrir cadeira confortável no quarto. Preciso me lembrar disso se engravidarmos de novo. Somos logo encaminhados para a triagem, onde a obstetriz rapidamente constata que as contrações estão fortíssimas e que o parto tem de ser feito quanto antes. Ganho uma pulseirinha azul, um dos raros momentos em que o hospital reconhece que é necessário um pai para se fazer a criança. A moça diz pra eu levar as malas pro quarto rapidinho e voltar logo pra lá.

Fico mais de dez minutos esperando o elevador, que, quando aparece, está lotado, e controlo meu impulso de enfiar o carrinho lá dentro mesmo assim – se alguma canela se quebrar ao menos já estaremos no hospital. Finalmente consigo subir até o quarto, deixo a mala, penduro o quadrinho de boas-vindas na porta e desço correndo pela escada, fazendo uma breve parada pra comprar pilhas pra câmera. Quando chego na tal salinha, adivinhem, minha grávida tinha sumido de novo. Saio por aí perguntando se alguém viu uma grávida, mas em uma maternidade não é a pergunta mais adequada. Um faxineiro me diz: "Você está procurando a moça daquela sala? Subiu pra cirurgia".

Corro como um louco escada acima, pulando degraus, tropeçando algumas poucas vezes, e chego à sala de cirurgia onde não posso entrar em trajes civis. Corro novamente, escada abaixo, para a sala de vestimentas, e peço esbaforido uma roupa de médico. Ganho uma roupa de faxineiro e corro pra cirurgia, chegando já muito suado. Fico esperando uns quinze minutos sob uma placa que parece indicar que ali é onde as enfermeiras fumam cachimbo, até que chamam meu nome.

«Renato, levanta e vem ver sua filha nascer»

Entro cuidadosamente na sala de parto, sento do lado de lá do pano cirúrgico e seguro a mão daquela que está a parir. Tínhamos concordado que eu não assistiria ao parto (nem fotografaria), até porque um homem desmaiado na sala de parto não ajuda no nascimento, apesar de pais que desmaiaram afirmarem que, num piscar de olhos, a criança literalmente nasce.

A médica e seu assistente parecem estar tricotando do lado de lá e o anestesista claramente está tentando me distrair, dizendo que tem massagista para os pais e perguntando se eu quero tomar hormônio pra dar de mamar também. Estranhamente me sinto calmo e seguro e à vontade com a situação toda, como se tivesse nascido para aquilo.

Isso só dura, lógico, até ouvir a voz da doutora dizendo categoricamente: "Renato, levanta e vem ver sua filha nascer". Como eu só me preparei psicologicamente pra passar o parto segurando mãozinha, levanto com o joelho meio bambo e, como num episódio de *Além da imaginação*, vou pro lado de lá da cortina.

Quando abro os dedos o suficiente pra enxergar alguma coisa e vejo a cabeça da Lucia coroando, um monte de cabelinhos bem pretos, emoldurados pelo corte – que parecia coisa de livro de anatomia, com as camadas de pele aparecendo –, a única frase coerente que consigo dizer pra controlar a mistura de emoção e aflição é "AAAAAAAAAAAAAAAAAAAAA", em maiúsculas mesmo.

Sempre achei que cesariana fosse como tirar um sapato da mala: abrir o zíper, pegar o sapato e fechar o zíper. Mas o buraco é muito menor que o bebê. A médica enfia um garfo de churrasco lá dentro, que usa como alavanca até que a cabeça do bebê saia, fazendo um "plop". Rapidamente a doutora manobra o resto do bebê pra fora da mãe, o cordão é cortado e eu tenho uma filha nascida, linda, coberta de meleca e de vernix, peludinha como um macaco. Bem que desconfiei daquelas longas idas ao zoológico.

Meu pequeno bebê fica alguns minutos no oxigênio, depois outros no colo da mãe, então levam ele embora para testes e depois para o zoológico, digo, maternidade, onde os bebês ficam expostos através do vidro. Lucia, que nasceu pequenina, foi ironicamente colocada ao lado de um bebê de quase quatro quilos. Coitada da mãe dele. E do pai.

Terminado o parto, sou expulso da sala. Acho que precisam fechar o tal zíper que não era zíper. Do lado de fora da sala de cirurgia sou recebido por uma multidão eufórica, que na verdade esperava outra pessoa, mas minha mãe e dois pajens, Tequila e Eurico, estão ali na porta também e recebem com abraços o exausto e feliz pai que acabou de nascer.

A seguir, cenas:

Dez dias de vida!

é como se eu conhecesse a carinha dela há milhares de anos.

Sinto que eu era incompleto e não sabia. Ela olha pra mim e sei que macaquinha e eu nos entendemos mais do que posso compreender. Sempre soube que isso era um tipo de imperativo biológico, que permitiu nossa sobrevivência como espécie – mas nunca pensei que esse tal imperativo fosse tão bom! Funciona por isso. Orgasmo, doce e neotenia e voilà! A espécie sobrevive. O lado negro dessa força é o choro – o negócio ressoa no sistema límbico de uma forma irresistível. Se nem os homens das cavernas defenestraram seus bebês[15] é porque aquele choro é uma lavagem cerebral da natureza, um comando hipnótico impossível de recusar. Você simplesmente é coagido a resolver. E é de partir o coração.

Enquanto isso, mamãe compete deslealmente pelo amor de Lucia, usando pra isso uma tal "mamada". Compenso contando histórias engraçadas pra ela, o que, admito, faz mais sucesso com a Maria. O duro é a enxurrada de piadas envolvendo a Lucia – e eu sempre estou do lado de lá da piada! É como se um dia Gregor Samsa acordasse transformado em papagaio, ou em português.

Lucia já tomou sol, foi duas vezes ao veterinário, digo, veterinário, digo, pediatra. O negócio preto que ela fazia, a tal graxa chamada mecônio, já virou cocô de verdade. Ser pai é ter

---

15. Seus próprios bebês, claro. E mesmo nisso há controvérsias. Eles podem ter defenestrado todos, menos o seu ancestral e o meu.

orgulho até de cocô. Ela ri, faz caras engraçadas e umas caretas muito expressivas.

Lucia fez dez dias, e arre, como foram bons.

Pai e assassino

Não estamos falando do velho Abraão, com a faca levantada sobre o peito de seu filho Isaac, que só parou porque um "anjo" apareceu e disse "não faça isso, era brincadeirinha, mas que falta de senso de humor..." Não, falamos aqui da nova temporada de *Dexter*, que vazou na internet como se fosse uma fralda muito cheia.

Pois nosso querido assassino serial agora é pai de um bebê que não dorme, o que seria razão suficiente pra começar a matar as pessoas, se já não trouxesse consigo esse hábito. Em dado momento, ele confessa ao bebê: "Papai é um assassino serial". O bebê apenas faz cara de "suquilhos?" As mães não sabem, mas a gente conta cada coisa pros bebês...

Algumas mães, aliás, sabem: um dia, meu amigo e mentor, o Lobo da Jangada, levantou de madrugada para atender sua linda filha. Levantou com monstruoso mau humor, já tradicional, e foi resmungando: "Puta sono, por que essa desgraçada não levanta pra variar, pqp viu..." E claro que nessa hora, do quarto do casal, veio o grito: "Você pare de dizer essas coisas pra ela! Eu tô ouvindo tudo na babá eletrônica!"

A babá eletrônica, verdadeira araponga infantil, deve ser responsável por mais divórcios que o Orkut. Isso até o dia em que inventarem a telepatia. Aí não vai sobrar pedra sobre pedra.

Lontras, mendigos bêbados e mães selvagens

udo começa centenas de anos atrás, com a domesticação das codornas, ou milhares de anos atrás, com a presumida domesticação dos bebês. Seguindo essa tradição, Lucia, que pertence ao segundo grupo, comeu ontem pela primeira vez um ovinho de codorna.

Meia hora depois, sentei a pequena na cadeirinha pra ela acompanhar o jantar da irmã e se sentir participante. Aproveitei e dei um ovinho na mão dela, que o devorou como uma selvagem. Achei que ia engasgar e que seria necessário chamar a Roto-Rooter pra desentupi-la, mas bebê tem que aprender a comer – né? Ela mesma deu um jeito, cuspindo um pedaço no chão, que se juntou aos outros que caíram esfarelados. Como boa parte caiu, dei mais um, é a coisa mais linda ver essa menina comendo com as mãozinhas, parece uma lontra.

Aí Dona Mamãe chegou do trabalho e aproveitei para limpar a sujeira de ovos no chão. Sem ter a importante e necessária sujeira como indicador, Mamãe tem a mesma ideia genial, de modo que a lontrinha come mais três ovinhos. Chegada a hora de dormir, zureta de sono, toma meia mamadeira e capota no berço tal qual um mendigo bêbado.

Lá pelas onze ela dá uma choradinha e para. Em geral a gente deixa, porque ela volta a dormir sem precisar de atenção; às vezes basta entrarmos no quarto, ela nos olha e, sentindo-se novamente segura, cai de cara na ovelhinha de pelúcia, adormecendo no meio da queda. Mas desta vez fui ver.

Encontrei a Lucia vestindo o capuz da blusa, sentada no escuro e dizendo coisas ininteligíveis – parecia o Charlie do *Lost* na fase heroína. Verifiquei a fralda e senti um molhado na roupinha. Afastei a mão sem querer e senti um molhado extenso na cama. Pensei: "Putaquepariu, será que o bebê está derretendo ou é a maior diarreia do planeta?"

Acendi a luz e vi, horrorizado, que ela estava completamente vomitada, a cama, a ovelhinha, a proteção do berço, tudo encharcado, vômito no cabelo, olho, nariz, orelha; uma cena de partir o coração.

Calmamente chamei: "Gatinha, vem aqui um instante, sim?" Ela arregalou os olhos e foi lavar a Lucia na pia enquanto eu esquentava água pro banho. Como mãe que é mãe sente ou inflige culpa (ou ambos), ouvi a Ana ralhando consigo mesma, ela que é sua juíza mais severa, pedindo desculpas à Lucia até pela mera existência das codornas.

Eu disse que precisávamos dar água pro bebê, pra não desidratar. Ela me pediu pra ligar pro veterinário[16]. Nos segundos que levei para achar o telefone na agenda, já ouvi uma bronca por estar demorando muito pra ligar.[17] Expliquei ao bom doutor que ela comeu muito ovinho e vomitou, mas parece ok. Ele disse que o importante era não desidratar e que, se precisasse, podíamos dar Dramin. Fui obrigado a perguntar se seria possível que ela tivesse aspirado vômito. Ele disse que era possível, mas que é muito raro, e que isso costuma acontecer somente

---

16. Sim, você leu certo.

17. A tolerância a choro de bebê também é muito menor no pai/mãe que segura a criança que naquele que prepara a mamadeira com aparente lerdeza ímpar.

com pessoas em coma. Mamãe ficou com raiva de mim e do médico. Acho que ela esperava ouvir "impossível" ou "leve-a já ao hospital".

Tentamos dar água de coco, mas Lucia vomitou de novo, em jorros, e eu horrorizado tentava entender como cabia tanta coisa dentro de um bebê tão pequeno. Será que ela guardou vômito em um portal intradimensional especialmente pra soltar tudo nessa ocasião? Será que ela era oca e dentro dela era tudo estômago?

A essas alturas, Dona Mamãe estava muito brava e irritada. Na quinta patada expliquei que o foco tinha de ser o problema da Lucia e não a reação materna a isso. Ela rosnou ameaçadoramente pra mim, que não tenho senso de oportunidade algum.

Lucia deu umas risadas e pareceu sinceramente aliviada. Entendo bem isso, nada melhor que a sensação de não precisar vomitar mais. Quantas noites não dormi abraçado de conchinha com a privada?

Compelido a ligar novamente para o médico, contei que Lucia tinha vomitado de novo e perguntei o que deveríamos fazer se ela vomitasse o remédio. A Ana ficou emputecida porque eu disse ao médico que a pequena parecia melhor. Afirmou que odeia o modo como eu atenuo as coisas e que a Lucia podia ser subtratada por causa disso. Respondi que eu é que odeio como ela exagera as coisas, que a Lucia podia acabar sendo supertratada por isso e que imaginar uma possibilidade não basta para que ela seja uma preocupação válida.

Lucia, bem melhor mas zonza de sono, recusou-se a beber qualquer coisa e adormeceu no colo da mãe. Tentei pegá-la para levar ao berço e minha mão quase foi arrancada a dentadas. Dona Mamãe passou as duas horas seguintes com a pequena no colo, fazendo carinho e rosnando para quem chegasse perto. Por fim, resolveu dormir na sala, com Lucia no cercado, por via das dúvidas.

Comentei que a pequena estava um pouco fria e pálida (olha que burro!), e ela logo pegou o telefone para ligar pro médico e dizer que a Lucia estava fria e pálida. Tentei explicar que a parte dela que está coberta está quentinha, e que qualquer um que vomitasse daquele jeito ficaria pálido, mas preocupação de mãe é uma coisa límbica, de cérebro reptiliano. A razão só vem alguns cérebros depois na escola evolucionária – e não pra todo mundo. O pediatra, tendo sido informado da quantidade exata de ovinhos, disse entre um bocejo e outro que achava que não era suficiente pra ela passar mal, e que podia ter sido excesso de comida mesmo.[18]

Deitamos ambos no sofá, olhando a pequena dormir. Aliviada por não se sentir mais a causa do revertério, Dona Mamãe pediu desculpas por ter sido tão agressiva. E eu, feliz por estarem finalmente ambas bem, durmo como o amigo do mendigo bêbado, aquele que fugiu com a garrafa de cachaça e desmaiou no viveiro das lontras.

---

18. Depois descobrimos que era uma virose.